Les partenaires permanents du Palais de Tokyo, site de création contemporaine sont
**The permanent partners of the Palais de Tokyo, site de création contemporaine are**

LE MINISTÈRE DE LA CULTURE ET DE LA COMMUNICATION/DÉLÉGATION AUX ARTS PLASTIQUES
LA CAISSE DES DÉPÔTS ET CONSIGNATIONS
PIONEER
MOROSO

Les partenaires éditions du Palais de Tokyo, site de création contemporaine sont
**The publishing partners of the Palais de Tokyo, site de création contemporaine are**

LES ÉDITIONS CERCLE D'ART
avec la collaboration des Arts Graphiques du Centre pour la photogravure
LA CCAS (CAISSE CENTRALE D'ACTIVITÉS SOCIALES DU PERSONNEL DES INDUSTRIES ÉLECTRIQUE ET GAZIÈRE)

Les partenaires médias du Palais de Tokyo, site de création contemporaine sont
**The media partners of Palais de Tokyo, site de création contemporaine are**

ARTE
BEAUX ARTS MAGAZINE
&
RADIO FG/PLANS CAPITAUX ARTY
MOUVEMENT.NET

© 2004 Palais de Tokyo, site de création contemporaine, Paris
ISBN 2 7022 0736 7
Imprimé en Italie

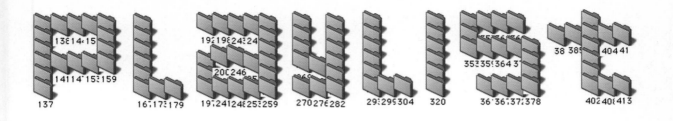

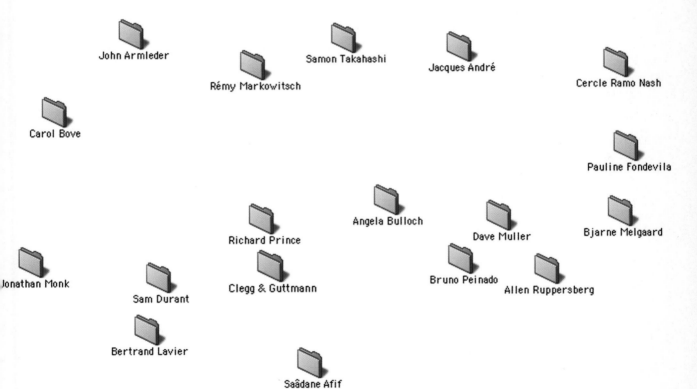

John Armleder

Samon Takahashi

Jacques André

Cercle Ramo Nash

Rémy Markowitsch

Carol Bove

Pauline Fondevila

Angela Bulloch

Dave Muller

Bjarne Melgaard

Richard Prince

Jonathan Monk

Clegg & Guttmann

Bruno Peinado

Allen Ruppersberg

Sam Durant

Bertrand Lavier

Saâdane Afif

# sommaire
## CONTENTS

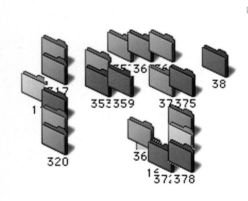
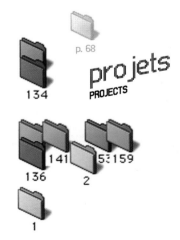

p. 117

# Une addition d'images, de figures et de signes dont on ne s'amusera jamais à faire la liste

A SERIES OF IMAGES, FIGURES AND SIGNS THAT NOBODY WILL EVER BOTHER MAKING A LIST OF  *ÉRIC MANGION*

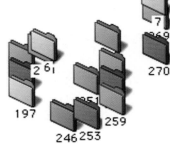

7
269
270
2 61
197
251
259
246 253

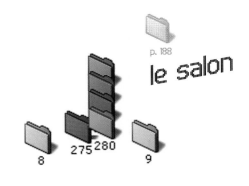

p. 156

## vidéos

15
162
3
158
164

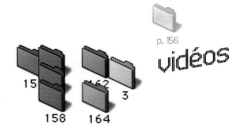

p. 188

## le salon

8
275 280
9

p. 208

## le pavillon

7
269
270

# PLAYLIST Le collectivisme artistique et la production de parcours

*NICOLAS BOURRIAUD*

## ARTISTIC COLLECTIVISM AND THE PRODUCTION OF PATHWAYS

Playlist n'est pas une exposition thématique — si elle devait avoir un thème, ce serait l'art contemporain lui-même. Que les artistes réunis dans cette exposition présentent un certain nombre de traits communs est certes indéniable, mais on ne les trouvera pas sous la forme d'une thématique, d'une technique ou d'une source visuelle particulière, encore moins celle d'une « identité » partagée. Les artistes fabriquent leurs papiers d'identité — quant aux autres, au mieux, ils ou elles sont d'habiles communicateurs de leur « culture » ou de leurs particularismes sexuels, nationaux ou psychologiques. Non, ce qui permet d'agréger au sein d'un même lieu des artistes poursuivant des buts et employant des méthodes si hétérogènes, c'est le fait qu'ils travaillent à partir d'une similaire intuition de l'espace mental contemporain ; qu'ils perçoivent la culture de ce début du vingt-et-unième siècle comme un champ chaotique infini dont l'artiste serait le navigateur par excellence. Tous et toutes arpentent le paysage effondré du modernisme du siècle passé, constatent le relâchement des tensions qui voûtaient son architecture, prennent acte de la disparition des anciennes figures du savoir.

Playlist is not a show built around a theme—if it had to have one, it would be contemporary art itself. While the artists brought together in this exhibition certainly display a number of traits in common, those features don't come in the form of a theme, technique or particular visual source, and even less as some shared "identity." Artists produce their own identity papers; all others are at best skillful communicators of their "culture" or their national, psychological or sexual particularities. No, what allows us to gather artists whose ends and means are so very different in one and the same venue is the fact that they are all working from a similar intuition about contemporary mental space. They perceive the culture of the early 21$^{st}$ century as an infinite chaotic field in which the artist is a navigator *par excellence*. All of these men and women are striding across the collapsed landscape of the last century's modernism, observing the relaxing of the tensions that once sustained its architecture, and taking note of the disappearance of the old figures of knowledge.

« TOUT PEUT SERVIR. IL VA DE SOI QUE L'ON PEUT NON SEULEMENT CORRIGER UNE ŒUVRE OU INTÉGRER DIVERS FRAGMENTS D'ŒUVRES PÉRIMÉES DANS UNE NOUVELLE, MAIS ENCORE CHANGER LE SENS DE CES FRAGMENTS ET TRUQUER DE TOUTES LES MANIÈRES QUE L'ON JUGERA BONNES CE QUE LES IMBÉCILES S'OBSTINENT À NOMMER CITATIONS. »

"Everything is useful. It goes without saying that not only can we correct a work or integrate various fragments of out-of-date works in a new one, but we can also change the meaning of those fragments and rig in whatever way we deem appropriate what imbeciles persist in calling quotations."
" Mode d'emploi du détournement " ("Methods of detournement"), Les lèvres nues n°8, mai 1956.

Avec des moyens divers, ils ou elles tentent de produire des œuvres qui s'accordent à ce nouvel environnement, tout en révélant les figures et les matériaux à nos consciences encore modelées par l'ordre d'hier. Si on ne peut qu'esquisser la topologie de ce nouveau paysage mental, qui apparaît « gazeux » au regard du myope, on connaît en revanche la nature des ruines sur lesquelles il repose. Depuis le seizième siècle et l'avènement des Temps Modernes, la propagation du savoir et son accumulation imprimaient à la culture sa forme et son mouvement. Expansion horizontale à travers les voyages de découvertes ; invention des « humanités » et du bagage de connaissances de « l'honnête homme » lancé à l'assaut de la verticalité des bibliothèques… L'invention de l'imprimerie (1440-1450) va de pair avec l'apparition d'une nouvelle figure du savoir, l'érudit, incarné par Pic de la Mirandole, Léonard de Vinci ou « l'abîme de science » que devait devenir le géant rabelaisien.

Or, il est devenu impossible à un individu vivant en 2004 de réunir la totalité d'un savoir, même s'il passait autrefois pour spécialisé. Nous sommes désormais submergés d'informations dont la hiérarchisation ne nous est plus fournie par aucune instance à portée immédiate, bombardés de données s'accumulant à une cadence exponentielle et provenant de multiples foyers : expérience inédite dans l'histoire de l'humanité, la somme des produits culturels dépasse à la fois la capacité d'assimilation d'un individu et la durée d'une vie normale.

Through a variety of means, they are attempting to produce artworks that are in keeping with this new environment while revealing its figures and materials to our understanding, which is still molded by yesterday's order. Although they are only able to sketch out the topology of this new mental landscape, which appears "nebulous" to the shortsighted, they grasp the nature of the ruins on which it stands. Since the 16th century and the advent of the modern age, the spread of knowledge and its accumulation have stamped culture with their form and movement: horizontal expansion by way of the voyages of discovery; invention of the "humanities" and the store of knowledge that the "Renaissance man" must bring with him as he launches his assault on the verticality of libraries… The invention of printing in 1492 goes hand in hand with the appearance of a new figure of knowledge, the scholar, embodied by Pico della Mirandola, Leonardo da Vinci or "the abyss of knowledge" that Rabelais's giant proved to be.

For an individual living in 2004, however, it has become impossible to take in even one area of knowledge in its entirety, even if he or she is considered a specialist. We are now overwhelmed by information, whose breakdown into some kind of hierarchy is no longer provided by any authority with an immediate impact. We are bombarded by data accumulating at an exponential rate from a range of sources. The sum of our culture's output exceeds both an individual's capacity to assimilate it and the average life expectancy, a completely new experience in the history of humanity.

PAGE SUIVANTE (NEXT PAGE) :
SAM DURANT, *Quarternary Fields/Associative Diagram*, 1998, crayon sur papier (pencil on paper), 56 x 73,6 cm. Courtesy Sam Durant et Blum & Poe, Santa Monica.

Ce schéma géométrique à quatre entrées représente les allers-retours de la création — de l'histoire de l'art à la musique en passant par les structures de l'inconscient — selon un procédé de mise en abyme. Il se réapproprie le schéma utilisé par Rosalind Krauss en 1978 dans son essai *Sculpture in the Expanded Field* pour définir la nouvelle sculpture hybride postmoderniste apparaissant entre 1968 et 1970.

This geometric diagram with four entries represents the complex ways of creative activity —from the history of art to music by way of the structures of the unconscious— according to a Russian-doll-like process. This is a reappropriation of the diagram used by Rosalind Krauss in her 1978 essay *Sculpture in the Expanded Field* to define the new hybrid postmodern sculpture that appeared between 1968 and 1970.

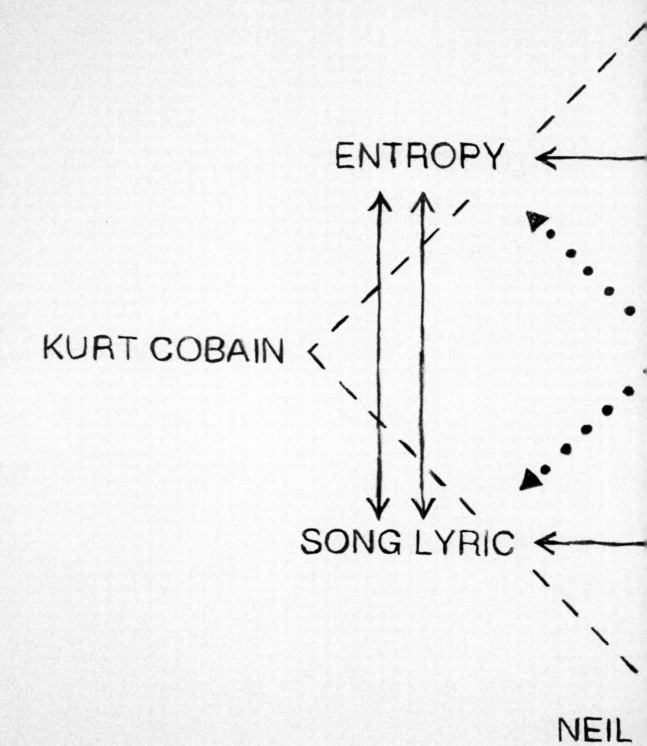

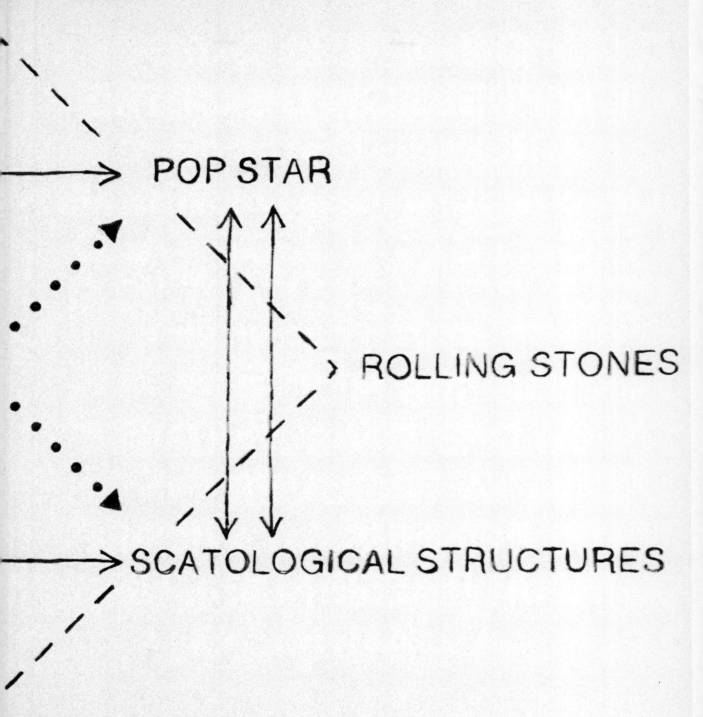

« ON A PLUS TARD
L'IMPRESSION DE S'ÊTRE
TROMPÉ D'ANNÉE
DE NAISSANCE, D'ÊTRE NÉ
TROP TÔT OU TROP TARD
POUR POUVOIR PARTAGER
LES ENGAGEMENTS
DE SES MODÈLES.
ALORS ON S'AMUSE
À TROUVER
LES BONNES CITATIONS
POUR PASSER DE L'UN
À L'AUTRE. »

*"Later you get the impression of being mistaken about your birthday, of being born too early or too late to be able to share the commitments of those you model yourself on. So then you pass the time by finding good quotations in order to go from one to the other."*

La mondialisation des arts et des lettres, la prolifération des produits culturels et la mise à disposition des savoirs sur le réseau Internet, sans parler de l'érosion des valeurs et des hiérarchies issues du modernisme, créent les conditions objectives d'une situation inédite, que les artistes explorent — et dont leurs œuvres nous rendent compte comme autant de feuilles de route. Le réseau Internet, où repose la quasi -totalité des savoirs disponibles, suggère une méthode (la navigation raisonnée, intuitive ou aléatoire) et fournit la métaphore absolue de l'état de la culture mondiale : un ruban liquide à la surface duquel il s'agit d'apprendre à piloter la pensée. Un principe, une méthode, semblent se dégager : cette capacité de navigation dans le savoir est en passe de devenir la faculté dominante pour l'intellectuel ou l'artiste. Reliant entre eux les signes, produisant des itinéraires dans l'espace socio-culturel ou dans l'histoire de l'art, l'artiste du vingt-et-unième siècle est un *sémionaute*.

La « feuille de route » pourrait ainsi être l'emblème de Playlist, tout comme la carte géographique fut celle de ma précédente exposition, GNS – Global Navigation System (1). Il s'agit d'ailleurs d'un objet qui présente les mêmes caractéristiques que la carte d'état-major, tous deux provenant d'une collecte d'informations préalable, tous deux permettant d'évoluer et de se diriger dans un espace donné. et de se diriger dans un espace donné.

The globalization of the arts and letters, the proliferation of cultural products and the posting of knowledge on the Internet, not to mention the erosion of the values and hierarchies that have come down to us from modernism, are creating the objective conditions of an entirely new situation. Artists are exploring it and their works, like so many travel warrants, are providing us with a progress report. The Internet, where nearly the sum of available knowledge can now be found, suggests a method (rational, intuitive or haphazard navigation) and provides an absolute metaphor of the state of world culture: a liquid ribbon over the surface of which we must now learn how to pilot thought. There seems to be a principle and a method emerging then, i.e., this ability to navigate knowledge is in a good position to become the dominant faculty of the intellectual or the artist. Creating connections between signs, producing itineraries in socio-cultural space or the history of art—the artist of the 21st century is a *semionaut*.

The "travel warrant" could well serve as the emblem of Playlist then, just as the geographic map was the emblem of my preceding show, GNS – Global Navigation System (1). Moreover, the travel warrant is an object that presents the same characteristics as ordnance survey maps. Both are the fruit of a preliminary collection of information and both enable one to move around and make one's way in a given space.

(1)   Voir GNS, Global Navigation System, publié par le Palais de Tokyo, site de création contemporaine et les Éditions Cercle d'Art, 2003.

     See GNS, Global Navigation System, published by the Palais de Tokyo, site de création contemporaine and Editions Cercle d'Art, 2003.

La liste d'artistes aurait d'ailleurs pu être à peu près la même, à ceci près que ceux qui figuraient dans GNS, de John Menick à Pia Rönicke, pratiquent une *topocritique* visant à décrire et analyser les espaces dans lesquels se déroulent nos vies quotidiennes, tandis que Playlist réunit des navigateurs de la culture, qui prennent comme univers de référence celui des formes ou de la production imaginaire. Affaire de degrés. Par-delà son champ d'application, cette méthode (la production de formes par collecte d'informations) utilisée plus ou moins consciemment aujourd'hui par de nombreux artistes, témoigne d'une préoccupation dominante : affirmer l'art comme une activité permettant de se diriger, de s'orienter, dans un monde de plus en plus numérisé. L'usage du monde, à travers l'usage des œuvres du passé et de la production culturelle en général, tel pourrait être encore le schéma directeur des travaux présentés dans cette exposition.

Dans la préparation de Playlist, mon essai Postproduction (2) fonctionne comme une base scénarique, ou plutôt comme un livret, dans le sens que l'on donne à ce terme pour un opéra. Je ne peux faire mieux qu'en reprendre quelques lignes concernant cette notion de culture de l'usage des formes : « devenant génératrice de comportements et de réemplois potentiels, l'art vient contredire la culture "passive", opposant des marchandises et leurs consommateurs, en *faisant fonctionner* les formes à l'intérieur desquelles se déroulent notre existence quotidienne et les objets culturels proposés à notre appréciation.

(2)  Nicolas Bourriaud, Postproduction, New York: Lukas & Sternberg, 2001
     (English version) ; Postproduction, Presses du Réel, Dijon, 2004 (version française).

Furthermore, the list of participating artists could have been about the same, except for the fact that those featured in GNS, from John Menick to Pia Rönicke, produce *topocritiques*, which aim to describe and analyze the spaces in which our daily lives take place, whereas Playlist brings together cultural navigators who take the world of forms and products of the imaginary as their referential world. A question of degree. But beyond its field of application, this method (i.e., the production of forms via the collection of information), employed by many artists more or less consciously nowadays, manifests a dominant preoccupation, namely, to affirm art as an activity that enables us to make our way, to get our bearings, in an increasingly digitalized world. The ways of the world through the uses to which artworks from the past and cultural production in general are put —that, too, could serve as the overall scheme of the work featured in the present show.

As I prepared Playlist, my essay Postproduction (2) served as a scenario-like basis, or rather a libretto, as the term is used in opera. I can hardly do better here than to quote a few lines touching on this notion of culture in the uses of forms: "By becoming a generator of behaviors and potential reuses, art contradicts 'passive' culture, contrasting commodities and their consumers by *activating* the forms within which our daily existence and the cultural objects offered up for our appreciation play out.

BJARNE MELGAARD, *Prototypes de jouets de la collection Maha Toys de Bjarne Melgaard*, en collaboration avec Maharishi technique mixte (in collaboration with Maharishi, mixed media). (toy prototypes of Bjarne Melgaard's Maha Toys collection), 2004, Courtesy Bjarne Melgaard. Photo : Sam Handy.

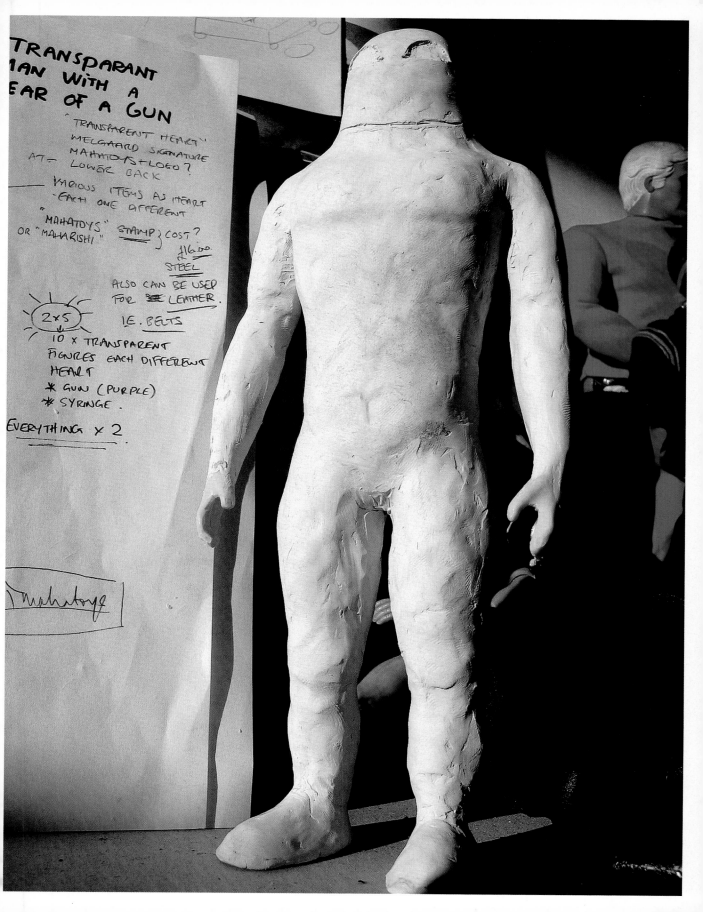

« Et si la création artistique pouvait aujourd'hui se comparer
à un sport collectif, loin de la mythologie classique
de l'effort solitaire ? "Ce sont les regardeurs qui font
les tableaux", disait Marcel Duchamp : c'est là une phrase
incompréhensible si l'on ne la rapporte pas à l'intuition géniale
de l'émergence d'une culture de l'usage, pour laquelle le sens
naît d'une collaboration, d'une négociation entre l'artiste
et celui qui vient la regarder. Pourquoi le sens
d'une œuvre ne proviendrait-il pas de *l'usage* qu'on en fait,
autant que du sens que lui donne l'artiste ?
Tel est le sens de ce que l'on pourrait se hasarder
à nommer un *communisme formel.* »

Autre hypothèse : ce que l'on nomme « art d'appropriation »
n'est-il pas au contraire un acte d'abolition de la propriété des
formes ? Le DJ est la figure populaire concrète de ce collectivisme,
un praticien pour lequel l'œuvre-accolée-à-sa-signature ne
forme rien d'autre qu'un point dans une longue ligne sinueuse
de retraitements, de trafics, de bricolages. Emprunté au
vocabulaire du DJ ou du programmateur, le terme de *playlist*
désigne généralement la liste des morceaux « à jouer ».
C'est une cartographie de données culturelles, mais aussi
une prescription ouverte, un parcours empruntable
(et indéfiniment modifiable) par d'autres.

"And what if artistic creation could be compared today
to a collective sport, a far cry from the classic mythology
of the solitary effort? 'It is the viewers who make paintings,'
as Marcel Duchamp said. The remark is incomprehensible
if we do not place it in connection with the brilliant
intuition regarding the emergence of a culture of use,
where meaning springs from a collaboration, a negociation
between the artist and the person who comes to have a look.
Why wouldn't the meaning of a work of art arise as much
from the *use* one makes of it as the meaning the artist gives it?
This is the sense of what we might venture to call
a *formal communism*."

Another hypothesis: isn't what some call "the art of appropriation,"
on the contrary, an act of abolishing the property of forms?
The DJ is the popular concrete figure of this collectivism,
a practitioner in whose eyes the artwork-coupled-with-its-
signature forms nothing more than one point in a long twisting
line of reprocessings, doctorings and *bricolages*.
Borrowed from the vocabulary of the DJ or the programmer,
the term "playlist" means of course the list of tunes waiting
to be played. It is a cartography of cultural data, as well as
an open prescription, a pathway that can be taken
(and indefinitely modified) by others.

# 1. Art global ou art du capitalisme
## GLOBAL ART, CAPITALIST ART

« La culture, c'est la règle ; l'art, c'est l'exception », rappelait à toutes fins utiles Jean-Luc Godard. Allant dans le même sens, on pourrait désigner comme artistique toute activité de formation et de transformation de la culture. Formation et transformation : si l'abus du terme « critique » peut facilement agacer, l'artiste contemporain n'entretient pas avec sa culture nationale (ou régionale) de rapports de complaisance. Il existe néanmoins une fracture largement passée sous silence au sein du monde de l'art « globalisé », qui relève moins d'une différence culturelle que des degrés de développement économique. L'écart qui existe encore entre le « centre » et la « périphérie » ne sépare pas des cultures traditionnelles de cultures réformées par le modernisme, mais des systèmes économiques à différentes étapes de leur évolution vers le capitalisme global. Tous les pays ne sont pas sortis de « l'industrialisme » pour accéder à ce que le sociologue Manuel Castells qualifie d'« informationnalisme », c'est-à-dire une économie où la valeur suprême est l'information, « créée, stockée, extraite, traitée et transmise en langage numérique. (3) »

"Culture is the rule, art is the exception," as Jean-Luc Godard reminded whoever cared to heed his words. Along the same lines, any activity involving the formation or transformation of culture could well be defined as artistic. Formation and transformation: while abuse of the term "critical" can easily annoy some, the contemporary artist certainly does not have an accommodating relationship with his or her national (or regional) culture. There is, however, a fracture at the heart of "globalized" art that is largely glossed over and which has less to do with a cultural difference than with degrees of economic development. The divergence that still exists between the "center" and the "periphery" does not separate traditional cultures from cultures reformed by modernism; rather, it divides economic systems at different stages in their evolution toward global capitalism. Not all countries have emerged from "industrialism" to enter what the sociologist Manuel Castells calls "informationalism," i.e., an economy where the supreme value is information, "created, stored, extracted, treated and transmitted in digital language." (3)

(3)  Manuel Castells, La société en réseaux. L'ère de l'information, éditions Fayard, Paris, 1998, p. 52.

Une société dans laquelle ce qui change, poursuit-il,
« ce ne sont pas les activités dans lesquelles l'humanité
est engagée, mais sa capacité technologique à utiliser
comme force productive directe ce qui fait la singularité
de notre espèce : son aptitude supérieure
à manier les symboles. (4) »

Si l'on accepte l'idée que l'économie occidentale est
post-industrielle, c'est-à-dire centrée sur l'industrie du service,
le retraitement des matières premières provenant
de la « périphérie », la gestion de l'interhumain
et de l'information, on peut imaginer que la pratique artistique
s'en trouve transformée. C'est en tout cas l'hypothèse
qu'explore l'exposition Playlist. Mais qu'en est-il
pour les artistes vivant dans des sociétés industrielles,
voire pré-industrielles ? Peut-on réellement croire que tous
les imaginaires naissent aujourd'hui libres et égaux ?

Rares sont les artistes provenant de pays « périphériques »
ayant réussi à intégrer le système central de l'art contemporain
en continuant à résider dans leur pays d'origine : s'extrayant
de tout déterminisme culturel par des actes de *réenracinements*
successifs, des personnalités brillantes comme Rirkrit
Tiravanija, Sooja Kim ou Pascale Marthine Tayou
ne réussissent à traiter les signes de leur culture locale
que depuis le « centre » économique — et ce n'est pas
un hasard, ou une simple décision opportuniste de leur part.

(4) Manuel Castells, La société en réseaux. L'ère de l'information, éditions Fayard, Paris, 1998, p. 121.

It is a society in which, he goes on to say, "what is changing
is not the activities humanity is engaged in, but its technological
capacity to use, as a direct productive force, what makes
for the singularity of our species, namely, its superior aptitude
for manipulating symbols." (4)

If we accept the idea that the economy of the West
is a postindustrial one, i.e., centered on the service industry,
the reprocessing of raw materials from the "periphery"
and the management of information and the interhuman,
then we can well imagine that by the same token the practice
of art is transformed. That is the hypothesis explored
by the show Playlist in any case. But what is it like for artists
living in industrial and even pre-industrial societies?
Can one truly believe that all imaginaries are born free and equal?

It is the rare artist from the periphery who has managed to fit
into the central system of contemporary art while continuing
to reside in his or her native country. Extricating themselves
from every form of cultural determinism by repeatedly putting
down new roots, such brilliant personalities as Rirkrit Tiravanija,
Sooja Kim or Pascale Marthine Tayou only succeed
in working with the signs of their local culture by working
from the economic "center." This is not by accident,
or due to a simple opportunist decision on their part.

PAULINE FONDEVILA, *L'usage de la vie*, 2002, impression numérique sur bâche (digital print on a canvas cover), 160 x 180 cm. Collection privée, Lyon.

Le titre, emprunté à un ouvrage de Christine Angot, constitue le point d'ancrage de cette toile : il correspond au premier élément « posé » d'où découle toute la composition. Divers signes de la culture (références visuelles, littéraires, musicales) mélangés à des symboles universels et intemporels (crânes, bougies) font de cette oeuvre une forme de vanité contemporaine. Cette variation sur les modes de circulation et de transmission propose des types de navigation possibles à travers la culture, ses matériaux apparaissant comme autant de relais.

Borrowed from a piece by Christine Angot, Fondevila's title firmly anchors the artist's canvas, the title being in reality the first element "posed" by Fondevila, which then gave rise to the entire composition. Various cultural signs (visual, literary or musical references) combined with universal, atemporal symbols (skulls, candles) make the piece a kind of contemporary vanitas; the materials employed by the artist indeed appear like so many relays posted along the route. This variation on modes of circulation and transmission proposes several possible ways of navigating culture.

« LE NAVIGATEUR PEUT SE FAIRE AUTEUR DE FAÇON PLUS PROFONDE QU'EN PARCOURANT UN RÉSEAU PRÉÉTABLI : EN PARTICIPANT À LA STRUCTURATION DE L'HYPERTEXTE, EN CRÉANT DE NOUVEAUX LIENS. »

"The navigator can only become an author in a more profound way by going over a pre-established network: taking part in the structuring of the hypertext, creating new links."

Qu'est-ce que le virtuel ?, La Découverte, Paris, 1995, p. 43.

Il existe bien entendu quelques exceptions,
des allers et retours, mais l'import-export des formes
ne semble véritablement fonctionner qu'au cœur
même du circuit global. Car qu'est-ce qu'une économie globale ?
Une économie capable de fonctionner à l'échelle planétaire,
en temps réel.

Accélérée et étendue depuis la chute du mur de Berlin en 1989
(année de l'exposition Les Magiciens de la terre,
considérée comme l'origine de la mondialisation artistique),
l'unification de l'économie mondiale a mécaniquement entraîné
une spectaculaire uniformisation des cultures.
Présenté comme l'avènement d'un « multiculturalisme »,
ce phénomène s'avère cependant politique avant tout :
l'art contemporain s'accorde progressivement au mouvement
de la globalisation, qui standardise les structures économiques
et financières tout en faisant de la diversité des formes
le reflet inversé, mais exact, de cette uniformité.
Telle une peinture d'Arcimboldo ou une installation de Jason
Rhoades ou Thomas Hirschhorn, le monde contemporain
se structure d'une manière d'autant plus implacable
que l'on ne peut déchiffrer son image que comme une
anamorphose, un dessin apparemment abstrait que l'œil nu
ne peut saisir — mais que l'art a pour fonction de déployer.

To be sure, a few exceptions do exist, instances of going back
and forth. Yet the business of importing and exporting forms
only really seems to function at the very heart of the global
circuit. For what is a global economy? An economy
capable of functioning on a planetary scale in real time.

Hastened and extended by the fall of the Berlin Wall in 1989
(the same year that the Magiciens de la terre show was held,
considered the origin of artistic globalization),
the unification of the world economy has mechanically brought
along with it a spectacular uniformization of cultures.
Presented as the advent of a "multiculturalism,"
the phenomenon is nonetheless proving to be political above all
else. Thus, contemporary art is progressively conforming
to the globalization movement, which is standardizing economic
and financial structures and at the very same time making
the diversity of forms the inverse, albeit exact, reflection
of that uniformity. Like a painting by Arcimboldo
or an installation by Jason Rhoades or Thomas Hirschhorn,
the contemporary world is structured in a way
that is all the more implacable in that its image can only
be deciphered as an anamorphosis, an apparently
abstract drawing that the naked eye cannot grasp
— but which art is meant to unfold.

*JOHN ARMLEDER, Event and Exhibit, Performance 1967/1987,
technique mixte (mixed media). Vue de l'installation
(view of the installation), Daniel Newburg Gallery, New York, 1987.
Photo : Tom Warren.*

*Cette sculpture, sorte de composition aléatoire, procède d'une
performance que John Armleder a pratiqué d'une manière récurrente.
Après avoir recueilli des éléments urbains et des objets
de toute sorte achetés aux commerçants locaux, des rebuts
ramassés aux alentours du lieu d'exposition, il les rassemble
dans un carton puis les déverse au sol du haut d'une échelle.*

*This piece of sculpture is a kind of random composition,
the result of a performance that John Armleder has presented
on many occasions. Collecting things common to the urban
environment, all kinds of objects purchased from local merchants,
and rubbish picked up from around the exhibition venue,
the artist throws them together in a box, which he then tips over
onto the ground from the top of ladder.*

ANGELA BULLOCH, Anti-Matter 3 in the Negative Zone, 2003. Vue de l'exposition (view of the exhibition)
Einbildung - Das Wahrnehmen in der Kunst, Kunsthaus, Graz, 2003. Courtesy Galerie Eva Presenhuber, Zurich
et Schipper & Krome, Berlin. Photo : Nicki Lackner.

Anti-Matter 3 in the Negative Zone a été présenté à la Kunsthaus de Graz à l'occasion de l'exposition
Imagination, Perception dans l'art contemporain. Pour cette installation, Angela Bulloch a utilisé des éléments
de décoration extraits du film The Ice Storm du réalisateur taiwanais Ang Lee. L'artiste explore le pouvoir
suggestif des médias sur la mémoire perceptive tout en provoquant une expérience sensorielle chez le spectateur.

Anti-Matter 3 in the Negative Zone was shown at the Kunsthaus in Graz for the exhibition Imagination,
Perception in Contemporary Art. For this installation, Angela Bulloch used decorative elements borrowed
from the film The Ice Storm by the Taiwanese director Ang Lee. Bulloch explores the suggestive power
that the media wields over perceptive memory while provoking a sensory experience within the viewer.

La globalisation est économique. Point. L'art ne fait qu'en suivre les contours, car il est l'écho, plus ou moins lointain, des processus de production — et donc des formes symboliques de la propriété, comme nous le verrons plus loin. Il serait ici facile de nous faire un mauvais procès : précisons donc que, loin de constituer un simple miroir où l'époque se reconnaîtrait, l'art ne procède pas par imitation des procédés et des modes contemporains, mais selon un jeu complexe de résonances et de résistances qui tantôt l'approche de la réalité concrète, tantôt l'en éloigne vers des formes abstraites ou archaïques. S'il ne suffit pas d'utiliser des machines, le vocabulaire de la pub ou le langage binaire pour être contemporain, avouons aussi que l'acte de peindre n'a pas aujourd'hui le même sens qu'à l'époque où cette discipline artistique s'accordait au monde du travail telle une roue dentée dans un mécanisme d'horlogerie. Que cela ne soit plus le cas n'empêche en rien la peinture de continuer à exister : nier ce renversement, en revanche, entache la peinture de nullité. L'art rend compte de l'évolution des processus productifs dans leur globalité, des contradictions entre les pratiques, des tensions entre l'image qu'une époque se fait d'elle-même et ce qu'elle projette réellement. Et à une époque où les représentations s'interposent entre les gens et leur vie quotidienne, ou entre les êtres humains eux-mêmes, rien de plus normal que l'art s'éloigne parfois de la représentation pour devenir une partie de la réalité en soi.

Globalization is economic. Period. Art only follows its contours, since it is a more or less distant echo of processes of production—and hence of symbolic forms of property, as we shall see further below. It would be easy to take us to task here. I should make clear then that far from constituting a simple mirror in which our age recognizes itself, art does not proceed by imitating contemporary procedures and modes, but according to a complex play of resonance and resistance that now draws it close to concrete reality, now pushes it away towards abstract or archaic forms. If it is not enough to simply use machines, the vocabulary of advertising or binary language to be contemporary, let's also admit that the act of painting today doesn't have the same meaning it did in a period when this artistic discipline meshed with the working world like a cog-wheel in a clockwork. That that is no longer the case in no way hinders painting from continuing to exist. To deny this reversal, however, is to invalidate painting. Art records the evolution of production processes in their globality, of contradictions between practices, of tensions between the image that an age has of itself and the image it actually projects. And in an age where representations come between people and their day-to-day life, or between human beings themselves, what could be more normal than art occasionally moving away from representation to become a part of reality in and of itself?

DAVE MULLER, *Dave's Top Record, Friday October 24th, 2003*, 2003, acrylique sur mur (acrylic on wall), 105 x 248 cm.
Vue de l'exposition (view of the exhibition), The Approach, Londres, 2003. Courtesy The Approach, Londres.

Pour cette fresque, Dave Muller a copié le diagramme d'un livre publié en 1975, qui décrit le développement rapide
qu'a connu la musique populaire depuis l'explosion du rock en 1956, et sa relation au marché.
Dave Muller a repris les flèches du diagramme original et en a choisi librement les couleurs et les directions.
Il lui a également donné un aspect de paysage en y ajoutant des arbres.

This wall-drawing is a copy of a spider diagram from a book. Starting in 1956 with the explosion of rock and roll,
it aims to show the rapid growth of popular music and its relation to business from then till the book's published date
of 1975. Dave Muller has taken over the arrows and sent them off in the color and direction that he felt appropriate.
He also added trees to the top to give a landscape feel to the diagram.

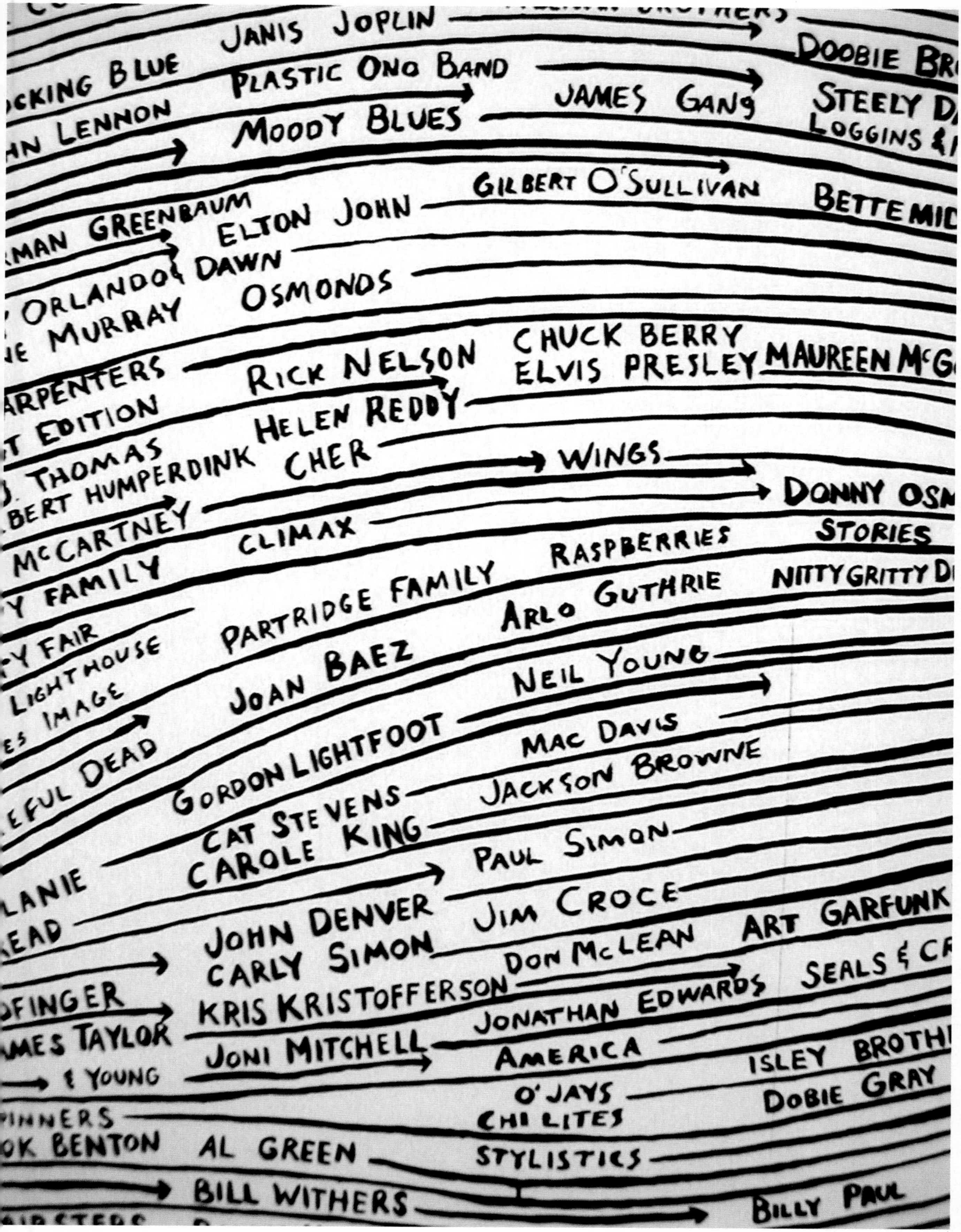

JANIS JOPLIN →

...CKING BLUE

...N LENNON →
PLASTIC ONO BAND →

JAMES GANG

...MAN BROTHERS →

DOOBIE BR...

STEELY D...

MOODY BLUES →

LOGGINS & ...

...MAN GREENBAUM →
ELTON JOHN
GILBERT O'SULLIVAN

BETTE MID...

...Y ORLANDO & DAWN
...E MURRAY
OSMONDS

...ARPENTERS

RICK NELSON →
CHUCK BERRY
ELVIS PRESLEY
MAUREEN McG...

...T EDITION

...J. THOMAS
...BERT HUMPERDINK
HELEN REDDY
CHER →
WINGS

...McCARTNEY
CLIMAX

DONNY OSM...

STORIES

...Y FAMILY
RASPBERRIES
NITTY GRITTY D...

...Y FAIR
...LIGHTHOUSE
...ES IMAGE
PARTRIDGE FAMILY
ARLO GUTHRIE

JOAN BAEZ
NEIL YOUNG →

...EFUL DEAD

GORDON LIGHTFOOT
MAC DAVIS
JACKSON BROWNE

CAT STEVENS
CAROLE KING
PAUL SIMON

...LANIE
...EAD
JOHN DENVER
CARLY SIMON
JIM CROCE

...OFINGER →
...MES TAYLOR →
KRIS KRISTOFFERSON
DON McLEAN
ART GARFUNK...

→ & YOUNG
JONI MITCHELL →
JONATHAN EDWARDS
SEALS & C...

AMERICA
ISLEY BROTH...

O' JAYS
DOBIE GRAY

...INNERS
...OK BENTON
AL GREEN
CHI LITES
STYLISTICS

→ BILL WITHERS →
BILLY PAUL

Karl Marx expliquait que l'Histoire, mouvement d'interactions et d'interdépendances croissantes des individus et des groupes qui constituent l'humanité, avait pour destin logique de devenir universelle. L'art « global » et le multiculturalisme reflètent ce nouveau stade du processus historique auquel nous avons accédé depuis la chute du mur de Berlin, sans toutefois toujours lui trouver une réponse adéquate et pertinente. Car le monde de l'art se voit aujourd'hui dominé par une sorte d'idéologie diffuse, le multiculturalisme, qui prétend en quelque sorte résoudre le problème de la fin du modernisme du point de vue quantitatif : puisque de plus en plus de « spécificités culturelles » acquièrent de la visibilité et de la considération, cela signifierait que nous serions sur le bon chemin. Puisqu'une nouvelle version de l'internationalisme prendrait le relais de l'universalisme moderniste, les acquis de la modernité seraient préservés. C'est là en tout cas le plaidoyer de Charles Taylor, théoricien de la « politique de reconnaissance » **(5)**, qui considère comme un « besoin humain vital » cette « dignité » accordée aux minorités culturelles dans une communauté nationale. Mais ce qui est valable aux États-Unis ne l'est pas forcément ailleurs : est-on certain que les cultures chinoises ou indiennes constituent des « minorités » promptes à se satisfaire qu'on les reconnaisse poliment ? Comment concilier la valorisation des cultures « périphériques » et les codes (ou les valeurs) de l'art contemporain ? Le fait que celui-ci représente effectivement une construction historique occidentale, ce que personne ne songe à mettre en doute, signifie-t-il qu'il faille réhabiliter la tradition ?

Karl Marx explained that history, the growing movement of interaction and interdependence among individuals and groups that make up humanity, has a logical outcome, which is to become universal. "Global" art and multiculturalism reflect this new stage in the historical process. Since the fall of the Berlin Wall, we have reached that process, although we can't always come up with an adequate and pertinent response. For the world of art finds itself nowadays dominated by a kind of vague widespread ideology (multiculturalism) that claims in a way to quantitatively resolve the problem posed by the end of modernism. In other words, the fact that "cultural specificities" are acquiring greater and greater visibility and consideration means we are on the right track. Since a new version of internationalism is apparently taking over from modernist universalism, the benefits of modernity are being preserved it would seem. That is the argument, in any case, put forward by Charles Taylor, the theoretician behind the "politics of recognition." **(5)** Taylor considers this "dignity" granted minority cultures in the international community as a "vital human need." However, what is valid in the United States is not necessarily elsewhere. Are we sure that Indian or Chinese cultures constitute "minorities" that will be quickly satisfied by our politely recognizing them? How are we to reconcile valuing both "periphery" cultures and the codes (or values) of contemporary art? Does the fact that contemporary art represents an historical Western construct, which nobody dreams of questioning, mean that the tradition must be rehabilitated?

(5)   Charles Taylor, <u>Multiculturalisme. Différence et démocratie</u>, Champs-Flammarion, Paris, 1994.

Charles Taylor, <u>Multiculturalism: Examining the Politics of Recognition</u>, Princeton: Princeton University Press, 1992.

Le multiculturalisme artistique résout le problème
en ne tranchant pas : il se présente ainsi comme une idéologie
de la domination de la langue universelle occidentale
sur des cultures qui ne sont valorisées que dans la mesure
où elles s'avèrent typiques, donc porteuses en soi
d'une « différence » assimilable par ce langage international.
Dans l'espace idéologique « multiculturel », un bon artiste
non occidental se doit ainsi de témoigner de son « identité
culturelle », comme si il ou elle la portait comme un tatouage
indélébile. L'artiste se présente donc d'emblée comme aliéné
par son contexte, créant une opposition spontanée
entre l'artiste des pays « périphériques » (pour qui il suffirait
de présenter sa différence) et l'artiste du « centre »
(qui se doit de manifester une distance critique vis-à-vis
des principes et des formats de sa culture mondialisée).
Ce phénomène porte un nom : la réification.
Dans l'idéologie multiculturaliste, un artiste ghanéen
ou vietnamien a le devoir implicite de faire image à partir
de sa supposée « différence » et de l'histoire de son pays ;
et si possible à partir des codes et standards occidentaux,
par exemple la vidéo qui représente aujourd'hui
la « green card » parfaite pour le marché occidental, une sorte
de « mise à niveau » par la technologie.

Artistic multiculturalism neatly resolves the problem
by not settling it decisively. Thus, artistic multiculturalism
presents itself as an ideology of the domination of Western
universal language over cultures that are prized insofar
as they prove to be typical and therefore the bearer
of a "difference" that can be assimilated by this international
language. In "multicultural" ideological space, good non-Western
artists must testify then to their "cultural identity,"
as if it adhered to their person like an indelible tattoo. The artist
is thus presented from the outset as alienated by his or her
context. This creates a spontaneous contrast between artists
from "peripheral" countries (who need only display
their difference) and artists from the "center" (who owe it
to themselves to display a critical distance with regard
to the principles and formats of their globalized culture).
This phenomenon has a name. It's called reification. In the
multiculturalist ideology, a Vietnamese or Ghanian artist has
the implicit duty to fashion an image from his or her supposed
"difference" and the history of his or her country, and if possible
from Western codes and standards as well, by using video,
for example, which nowadays represents the perfect green card
for the Western market, a kind of technological "leveling."

Le multiculturalisme se présente ainsi comme une idéologie de la naturalisation de la culture de l'Autre. C'est aussi l'Autre comme supposée « nature », comme réservoir de différences exotiques, par opposition à la culture américaine perçue comme « mondialisée », synonyme d'universelle. Or l'artiste reflète moins sa culture que le mode de production de la sphère économique (et donc, politique) au sein de laquelle il évolue. L'apparition d'un « art contemporain » en Corée du Sud, en Chine ou en Afrique du Sud reflète l'état de coopération d'une nation avec le processus de la mondialisation économique, et l'entrée de leurs ressortissants sur la scène artistique internationale se déduit directement des bouleversements politiques qui s'y sont déroulés. Pour prendre un exemple inverse, l'importance prise par la performance ou le happening dans les pays de l'ex-bloc soviétique depuis les années soixante témoigne à la fois de l'impossibilité d'y faire circuler des objets, des vertus politiques de l'action cathartique et de la nécessité de *ne pas laisser de traces* dans un contexte idéologique hostile. Comment ne pas voir que l'art contemporain est avant tout contemporain de l'économie qui l'environne ?

Il faudrait par ailleurs être bien naïf pour croire en une œuvre d'art « contemporaine » qui serait l'expression « naturelle » de la culture dont son auteur est issu, comme si la culture constituait un univers indépendant et clos sur lui-même ; ou au contraire, suffisamment cynique pour promouvoir l'idée de l'artiste comme « bon sauvage » de sa langue natale, porteur d'une différence spontanée car pas encore contaminé par le colon blanc. C'est-à-dire par le modernisme.

Multiculturalism is presented then as an ideology springing from the naturalization of the culture of the Other. It is also the Other as a supposed "nature," a reservoir of exotic differences, as opposed to American culture, seen as "globalized," which is synonymous with universal. Yet artists mirror less their own culture than the mode of production peculiar to the economic (and hence political) sphere in which they move. The appearance of a "contemporary art" in South Korea, China or South Africa reflects a nation's state of cooperation with the process of economic globalization, and the appearance of their citizens on the international art scene can be directly deduced from the political upheavals that have occurred there. To take an opposite example, the importance that performance art and happenings has assumed in the former Eastern Bloc countries since the 1960s is evidence of an earlier impossibility of circulating objects there, the political virtues of cathartic action, and the necessity of *not leaving a trace* in a hostile ideological context. How can one not see that contemporary art is above all contemporary with the economy surrounding it?

One would have to be fairly naïve, moreover, to believe in a work of "contemporary" art that is a "natural" expression of the culture that gave rise to its creator, as if culture formed an independent universe, closed upon itself; or on the contrary, sufficiently cynical to promote the idea of the artist as a "noble savage" of the language of his or her birth, the bearer of a spontaneous difference, spontaneous because it is not yet contaminated by the White colonist. In other words, by modernism.

JOHN ARMLEDER, *Ne dites pas non !*, 1996-97, technique mixte (mixed media). Vue de l'installation (view of the installation) *Home Sweet Home*, Deichtorhallen, Hambourg, 1997. Photo : Snuk-Studio, Hambourg.

Cette installation, associant objets, mobilier et peintures, appartient aux œuvres « pudding » selon l'étymologie personnelle de John Armleder qui dit avoir toujours « été intéressé par la façon d'assembler les choses ». Dans une logique post-moderniste puisant dans l'histoire de l'art, il reprend les emblèmes de la modernité et se réapproprie l'abstraction. Cette œuvre, fonctionnant sur un principe d'assemblage renouvelable indéfiniment, prend une forme différente selon le lieu d'exposition, se recomposant à partir d'objets trouvés sur place ou des collections du musée où elle est présentée.

Assembling objects, furniture and paintings, this installation belongs to John Armleder's "pudding" work, as the artist's personal etymology would have it. Armleder has indeed said that he has "always been interested by the way things are assembled." In a postmodernist logic that borrows from art history, he reworks emblems of modernity and reappropriates abstraction. Functioning on a principle of an indefinitely renewable assemblage, this work assumes a different shape according to the exhibition venue, taking on a new form thanks to either the objects found around the site or the collection of the museum where the piece is being shown.

JONATHAN MONK, *Gerhard Richter Abstraktes Bild 185*, 2000, détail d'un film 16mm, 20 secondes (detail of a 16-mm film, 20 seconds). Courtesy Jonathan Monk et galerie Yvon Lambert, Paris.

En lien direct avec les films réalisés à partir des livres de Sol LeWitt, cette pièce utilise les pages déchirées du livre de Gerhard Richter comme des supports d'animation. Les images des peintures, projetées sur le mur dans le même format que le livre, inaugurent une nouvelle forme de lecture picturale.

Offering a direct link with the various films made from Sol LeWitt's books, this work uses torn pages from the book of the same title by Gerhard Richter as a support for its animation. The images of paintings, projected on a wall in the same format as the book, inaugurate a new form of pictorial reading.

BERTRAND LAVIER, *Le château des papes*, 1991, mosaïque (mosaic), 73 x 92,5 cm. Collection de l'artiste.

En reproduisant un tableau de Paul Signac en mosaïque, Bertrand Lavier signe la conception de l'œuvre tandis qu'il confie sa réalisation à une mosaïste qualifiée. Dès lors, on peut se demander ce qui est « du Lavier » et ce qui n'en est pas. Cette mosaïque pointilliste procède d'une superposition qui produit un « télescopage de catégories ». Pour Bertrand Lavier, « à distance, l'illusion est totale, c'est du Signac. De près, ce n'est que de la mosaïque ». Finalement, « c'est dans l'entre-deux, dans l'aller-retour entre des sensations et des jugements antagonistes qu'on a affaire à du Bertrand Lavier ».

By deciding to reproduce a painting by Paul Signac in mosaic, Bertrand Lavier puts his name to the idea of the artwork while leaving its realization up to a qualified mosaicist. The question then becomes, what part of the work is "Lavier" and what is not? This pointillist mosaic originates in a layering that produces a "telescoping of categories." In the end, "the Bertrand Lavier part lies in the betwixt-and-between state, the to-and-fro between conflicting sensations and judgments." For Lavier, "at a distance, the illusion is complete, it is a Signac. Upclose, it's only a mosaic."

# "[THE CRITICS] KIND OF PITTED ME AGAINST HITCHCOCK. THEY THOUGHT I WAS TRYING TO CHALLENGE HITCHCOCK. I DON'T KNOW HOW I WOULD CHALLENGE HIM IF I'M USING HIS OWN MATERIAL."

« [Les critiques] m'ont opposé à Hitchcock. Ils ont cru que j'essayais de défier Hitchcock. Je ne sais pas comment je pourrais le défier si j'utilise sa propre matière. »
À propos de Psycho (about Psycho).

Il existe néanmoins une alternative à cette vision « globalisée » de l'art contemporain : cette alternative affirme qu'il n'existe pas de biotopes culturels purs, mais des traditions et des spécificités culturelles traversées par cette mondialisation de l'économie. Pour paraphraser Nietzsche, il n'y a pas de faits culturels, mais des interprétations de ces faits. Ce que l'on pourrait nommer *l'interculturalisme* se base sur un double dialogue : celui que l'artiste entretient avec sa tradition, auquel s'adjoint un dialogue entre cette tradition et l'ensemble de valeurs esthétiques héritées de l'art moderne qui fondent le débat artistique international. Les artistes *interculturalistes* importants aujourd'hui, de Rirkrit Tiravanija à Navin Rawanchaikul, de Pascale Marthine Tayou à Subodh Gupta, de Heri Dono à Sooja Kim, arc-boutent leur vocabulaire sur la matrice moderniste et relient l'histoire des avant-gardes à la lumière de leur environnement visuel et intellectuel spécifique. La qualité du travail d'un artiste dépend de la richesse de ses rapports au monde, et ceux-ci sont déterminés par la structure économique qui les formate avec plus ou moins de puissance — même si, fort heureusement, chaque artiste possède en théorie les moyens de s'en évader ou de s'en extraire.

However, there exists an alternative to this "globalized" view of contemporary art. It affirms that no pure cultural biotopes exist. Rather, there are cultural traditions and specificities, which are penetrated by economic globalization. To paraphrase Nietzsche, there are no cultural facts, only interpretations of those facts. What we might call *interculturalism* is based on a dual dialog. There is the dialog that the artist engages in with his or her tradition, which is joined by a second dialog between that tradition and the collection of esthetic values inherited from modern art that underpin the international debate on art. The important *interculturalist* artists today, from Rirkrit Tiravanija, Navin Rawanchaikul and Pascale Marthine Tayou, to Subodh Gupta, Heri Dono and Sooja Kim, use the modernist mold to buttress their vocabulary and reread the history of avant-garde movements in light of their specific visual and intellectual environment. The quality of an artist's work depends on the complexity of his or her connections with the world, and those are determined by the economic structure that shapes them with greater or lesser force —even if, quite fortunately, every artist in theory possesses the means to escape from or shake off those ties.

JACQUES ANDRÉ, vue de l'exposition (view of the exhibition) <u>Canards et guitares</u>, galerie Catherine Bastide, Bruxelles, 2002.

Jacques André se comporte tout à la fois comme acteur, consommateur et critique. Pour son exposition personnelle <u>Canards et guitares</u> à la galerie Catherine Bastide, l'artiste réalise un accrochage à partir d'une sélection d'œuvres appartenant à la galerie et à l'artiste. Ainsi, on retrouve <u>Untitled Martha Rosler Collage</u>, 2001-2002, une œuvre de Carol Bove qui reprend un collage de Martha Rosler sous forme de puzzle, une photo de Cameron Jamie (attaqué par Michael Jackson), <u>The New Life</u>, 1996, ou encore un dessin de Daniel Jonhson, <u>Untitled</u>, 1999.

Jacques André acts like an actor, consumer and critic. For his solo show <u>Canards et guitares</u> (<u>Ducks and Guitars</u>) at the Galerie Catherine Bastide, the artist created a display from a selection of works owned by the gallery and the artist. The show featured, for example, <u>Untitled Martha Rosler Collage</u>, 2001-2002, a work by Carol Bove that reworks a collage by Martha Rosler in the form of a puzzle, a photograph of Cameron Jamie (attacked by Michael Jackson), <u>The New Life</u>, 1996, as well as a drawing by Daniel Johnson, <u>Untitled</u>, 1999.

# 2. Art d'appropriation ou communisme formel
## APPROPRIATION ART AND FORMAL COMMUNISM

En 2004, Bertrand Lavier « refait » à l'aide de tubes de néon une peinture de Frank Stella ; Bruno Peinado, trois expansions de César, John Armleder une peinture dans le style de Larry Poons, ou Jonathan Monk la version cinématographique d'une édition de Sol LeWitt. Renvoyant à des œuvres précédentes, celles que je viens d'énumérer ne relèvent pourtant pas d'un « art de la citation ». Pratiquer la citation, c'est en appeler à l'autorité : en se mesurant au maître, l'artiste se positionne dans une lignée historique par laquelle il légitime tout d'abord sa propre position, mais aussi, tacitement, une vision de la culture pour laquelle les signes « appartiennent » sans équivoque à un auteur (l'artiste x ou y), auquel le travail présent renvoie d'une manière ironique, agressive ou admirative. Dans les toiles de Julian Schnabel des années quatre-vingt, la « citation » se réduisait d'ailleurs parfois à l'écriture d'un nom propre. En induisant l'emprunt, le vol ou la restitution des signes à leur « auteur », elle naturalise l'idéologie de la propriété privée des formes, par le simple fait qu'elle tisse un lien indissoluble entre celles-ci et l'autorité d'une signature individuelle ou collective.

In 2004, using neon tubes Bertrand Lavier "redid" a painting by Frank Stella. Bruno Peinado redid three César "expansions"; John Armleder, a painting in the style of Larry Poons; and Jonathan Monk, a film version of a Sol LeWitt print series. Although referring to earlier works of art, the pieces that I've just mentioned don't belong to an "art of quotation." Practicing quotation means making an appeal to authority. By measuring themselves against a master, artists also situate themselves in an historical lineage with which they legitimize first their own position, but also (tacitly) a view of culture where signs "belong" unequivocally to one "creator" (this or that artist), to whom the current work refers in an ironic, aggressive or admiring way. In Julian Schnabel's canvases from the 1980s, moreover, "quotation" is occasionally reduced to merely writing out a proper name. By introducing an approach whereby the artist borrows or steals signs from or restores them to their "author," quotation naturalizes the ideology of the private property of forms by the simple fact that it produces an indissoluble bond between forms and the authority of an individual or collective signature.

SAM DURANT, Upside Down: Pastoral Scene, 2002 (détail), technique mixte, installation sonore (mixed media, audio system). Courtesy Blum & Poe, Santa Monica.

Dans cette installation complexe, Sam Durant revisite une œuvre de Robert Smithson ainsi qu'un chapitre de l'histoire américaine des années 60 et 70 : la lutte des noirs-américains pour leurs droits. En se réappropriant le motif de l'arbre renversé, les racines tournées vers le ciel, il amorce une réflexion politique et culturelle sur la figure de l'inversion – de l'exclusion – dans la société américaine. Avec cette forêt transfigurée, Durant suggère à la fois l'intervention humaine, le geste contre-nature empreint d'une violence sadique et une nouvelle perspective, une seconde chance de prendre racine autrement. Les arbres de Durant se chargent alors d'une dimension universelle et deviennent les « totems du déracinement ».

In this complex installation, Sam Durant revisits a work by Robert Smithson along with a chapter of American history from the 1960s and '70s, i.e., African-Americans' struggle for civil rights. By reappropriating the motif of the inverted tree with its roots thrust skyward, the artist suggests a number of things, human intervention, a gesture running counter to nature and stamped with a sadistic violence, and finally a new perspective, a second chance to take root in a different way. Durant's trees assume a universal dimension and become "totems of uprootedness."

Rien de tel dans l'attitude des artistes précités, de John Armleder à Jonathan Monk. Leur relation à l'histoire de l'art n'implique pas une idéologie de la propriété des signes, mais une culture de l'usage des formes et de leur mise en commun, pour laquelle l'histoire de l'art constitue un répertoire de formes, de postures et d'images, une boîte à outils où chaque artiste est en mesure de puiser. Pour le dire autrement, un équipement collectif que chacun serait libre d'utiliser selon ses besoins personnels.

Il n'est pas anodin que cette vision « collectiviste » de l'art apparaisse au moment du triomphe planétaire du modèle économique libéral, comme si le refoulé de ce système se concentrait dans l'univers des formes, y disposant d'un espace pour préserver des éléments menacés et élaborer des anticorps… Le développement souterrain d'une culture collectiviste sur Internet, depuis les *freewares* informatiques (le système Linux) au téléchargement sauvage de morceaux de musique ou de films, mais aussi l'importance stratégique prise par le débat sur le copyright artistique ou le droit de reproduction des œuvres, signalent la formation d'un territoire interstitiel, qui n'est pas régi par la loi dominante.

There is nothing like that in the attitude espoused by the artists mentioned above, from John Armleder to Jonathan Monk. Their relationship to the history of art implies not an ideology of the property of signs, but a culture of the use of forms and their pooling together, for which the history of art constitutes a repertory of forms, postures and images, a toolbox that every artist is in a position to help him- or herself to. To put it another way, it represents collective equipment that any artist is free to use according to his or her personal needs.

It is not innocuous that this "collectivist" view of art should appear at a time when the liberal economic model is triumphing worldwide, as if the repressed aspect of this system were being concentrated in the world of forms, finding there a space where threatened elements can be preserved and antibodies created… The underground development of a collectivist culture on the Internet, from computer freewares like the Linux system to the unregulated downloading of songs or films, as well as the strategic importance that the debate over artistic copyrights has assumed, is a clear sign that an interstitial territory ungoverned by prevailing laws is forming.

JOHN ARMLEDER, Untitled (FS 164), I Am Not Just Another Cute Furry Face, 1994, technique mixte (mixed media), 100 x 275 x 200 cm. Vue de l'installation (view of the installation), Centre d'art contemporain Le Capitou, Fréjus. Photo : John Armleder.

Cette pièce appartient à la série des Furniture Sculptures qui a pour particularité de combiner des objets usuels avec une peinture abstraite. Ici, le tas d'objets, ne relevant ni vraiment de la sculpture, ni vraiment du mobilier, tient de l'encombrement, d'un amas de rebuts. Le choix des objets, selon John Armleder, est aussi « un jeu d'équilibre, de hasard, d'intuition, et finalement de déconstruction amusante ». Les Furniture Sculptures déclarent l'attitude comme objet.

This piece is part of the Furniture Sculptures series. The particularity of the series is that it combines everyday objects with an abstract painting. In this instance, the pile of objects, not really sculpture but not really furniture either, suggests litter, a heap of rubbish. The choice of objects, Armleder points out, "is a play of balance, chance, intuition and finally amusing deconstruction." Armleder's Furniture Sculptures declare attitude to be an object.

Ce qui semble le plus difficile à comprendre pour un historien d'art coupé des pratiques contemporaines, c'est que cette culture de l'usage des formes dissout les relations imaginaires liant autrefois les emprunts à leurs sources, les « originaux » et les « copies ». Elle témoigne au contraire d'un imaginaire à la fois chaotique et collectiviste où les parcours entre les signes et le protocole de leur utilisation importent davantage que les signes eux-mêmes. Si chacun peut constater que l'imaginaire des sociétés postindustrielles est hanté par les figures du retraitement, du recyclage et de l'usage **(6)**, cet imaginaire se traduit dans le discours de l'art contemporain par le terme d'*art d'appropriation*. Depuis le début des années quatre-vingt, « Appropriation art » est ainsi le terme le plus souvent utilisé, du moins en anglais, pour qualifier des pratiques artistiques basées sur la mise en scène d'une œuvre ou d'un produit préexistants. Ces pratiques ne datent évidemment pas d'hier, et au-delà de l'usage d'œuvres d'art, la notion d'art d'appropriation sert à qualifier l'ensemble des pratiques dérivées du readymade de Marcel Duchamp.

For an art historian who is cut off from contemporary practices, the most difficult thing to grasp is that this culture of the use of forms dissolves the imaginary connections that once linked what was borrowed and its sources, the "originals" and the "copies." It points to, on the contrary, an imaginary that is both chaotic and collectivist, where the pathways between signs and the protocol for their use are more important than the signs themselves. While everyone recognizes that the imaginary of postindustrial societies is haunted by the figures of reworking, recycling and use, **(6)** in contemporary-art discourse it has taken the form of *appropriation art*. Since the early 1980s, appropriation art is indeed the term most often used in English to qualify artistic practices based on the *mise en scène* of a preexisting work or product. Obviously, these practices did not spring up overnight; beyond the use of works of art, the notion of appropriation art is applied to the group of artistic practices that springs from Marcel Duchamp's ready-mades.

(6)  Pour une analyse des bases matérielles de cet imaginaire, voir <u>Postproduction</u>, cf. note 1.

For an analysis of the material basis of this imaginary, see <u>Postproduction</u>.

Lorsque ce dernier élabore en 1913 une œuvre intitulée
Roue de bicyclette, constituée d'une roue de vélo juchée
sur un tabouret, il ne fait que reporter dans la sphère de l'art
le processus capitaliste de production. Tout d'abord,
il abandonne les outils traditionnels de l'art (le pinceau,
la toile), qui représentent dans la production artistique
l'équivalent des conditions de travail préindustrielles.
Avec Duchamp, l'art entérine le principe général du capitalisme
moderne : il ne travaille plus en transformant manuellement
une matière inerte. L'artiste devient le premier consommateur
de la production collective, une force de travail
venant se connecter sur tel ou tel gisement de formes :
il est certes soumis au régime général, mais néanmoins libre
de disposer de son espace et de son temps, à la différence
de l'ouvrier obligé de « brancher » sa force de travail
sur un dispositif de production existant en dehors de lui
et sur lequel il n'a aucune prise.

Dans L'idéologie Allemande, Karl Marx décrit la coupure
qui s'est opérée à la naissance du capitalisme
comme un passage des « instruments de production naturels »
(dans le travail de la terre, par exemple) aux « instruments
de production créés par la civilisation. » Le capitalisme
pourrait ainsi se décrire comme un premier stade
dans la minoration de la *matière première*.
En art, le capital est un mélange de labeur accumulé
(les œuvres d'art et les produits de consommation)
et d'instruments de production (l'ensemble des outils
disponibles à un moment donné pour produire des formes).

When in 1913 Duchamp created Bicycle Wheel, which consists
of a bicycle wheel perched on a stool, he was merely bringing
the capitalist process of production into the sphere of art.
First, he was abandoning the traditional tools of art (paintbrush,
canvas), which in the production of art are the equivalent
of preindustrial working conditions. With Duchamp, art confirms
the general principle of modern capitalism, i.e., it no longer
works by manually transforming an inert material.
The artist becomes the first consumer of collective production,
a labor force coming to tap into this or that deposit of forms.
He is of course subject to the general order of things,
but is nevertheless free to use his time and space as he sees fit,
unlike the laborer who is obliged to "hook up" his force
to an existing production mechanism that is external to him
and over which he exerts no control.

In The German Ideology, Karl Marx describes the breach
brought about by the birth of capitalism as a shift from "natural
instruments of production" (in working the land, for example)
to "instruments of production created by civilization."
Capitalism could thus be described as an initial stage
in the undervaluation of *raw materials*. In art, capital is a mix
of accumulated labor (works of art and consumer products)
and instruments of production (the collection of tools
available at a given moment for producing forms).

"MY WORK IS PRIMARILY AN ANTI-NOSTALGIC DIALOG WITH HISTORY AND REFLECTION- ALWAYS TRAVELING BETWEEN FACT AND FICTION. I CONNECT SIGNIFICANT HISTORICAL EVENTS TO UNCOVER PROBLEMATIC MEANINGS THAT MAINTAIN CONTEMPORARY RELEVANCE."

« Mon travail est d'abord un dialogue anti-nostalgique avec l'histoire et la réflexion – en navigation permanente entre fait et fiction. Je procède à des connections entre des événements historiques importants afin de révéler des significations problématiques qui restent pertinentes dans le présent. »

Ce qui apparaît étonnant, c'est que notre lecture de l'histoire de l'art s'arc-boute sur la notion d'« appropriation », c'est-à-dire en prenant comme fait accompli que l'utilisation d'une œuvre d'art ou d'un objet manufacturé entraîne automatiquement son changement de propriétaire. Duchamp se serait approprié le porte-bouteilles en lui inventant une « nouvelle définition » et en le signant. Or cette théorie, popularisée par une version historiciste de l'art du vingtième siècle qui classait les artistes en fonction de la « nouveauté » dont ils étaient les inventeurs, entre totalement en contradiction avec l'attitude adoptée par Duchamp vis-à-vis de ses propres readymades : jamais il ne fit la moindre allusion, dans ses textes ou dans les entretiens qui leur sont liés, à la notion de « propriété ». En effet, comment concilier une vision de l'artiste comme « propriétaire » avec le concept de « beauté d'indifférence » auquel Duchamp n'a cessé de se référer ? « L'indifférence » duchampienne traduit un certain mépris pour toute possession, fût-elle symbolique, que confirme l'ensemble de son travail (et son dédain réitéré pour la forme matérielle de ses readymades).

What does appear surprising is that our reading of the history of art is buttressed on the notion of "appropriation," i.e., on viewing as a given the fact that using a work of art or a manufactured object automatically involves a change of ownership. Duchamp apparently appropriated the bottle rack by inventing a "new definition" for the object and signing it. Yet this theory, popularized by an historicist version of 20th-century art that classifies artists in terms of the "novelty" they come up with, runs completely counter to the attitude adopted by Duchamp with regard to his own ready-mades. In his texts and interviews linked to them, the artist never once alluded to the notion of "property." Indeed, how are we to reconcile a view of the artist as an "owner" with the concept of "the beauty of indifference" through which Duchamp endlessly referred to himself? Duchampian "indifference" translates a certain contempt for all possession, even symbolic, which the body of his work (and his reiterated disdain for the material form of his ready-mades) confirms.

*SAÂDANE AFIF, Stratégie de l'inquiétude, 1998,
bois, résine, peinture (wood, resin, paint), 150 x 300 x 300 cm.
Vue de l'exposition (view of the exhibition)
Une légende à suivre, Crédac, Ivry-sur-Seine.
Collection Frac Poitou-Charentes, Angoulême.
Courtesy galerie Michel Rein, Paris.*

*La forme de la maquette permet à Saâdane Afif de faire
intervenir le territoire de la fiction comme une possibilité
opératoire sur le réel. Réalisation en modèle réduit,
la maquette renvoie à une autre échelle, à un autre
référent. Stratégie de l'inquiétude emprunte sa structure
au plan-relief, soit un paysage miniature qui relève
depuis le XVI<sup>e</sup> siècle de la stratégie militaire.
Dispositif intrinsèquement inachevé, la « stratégie
de l'inquiétude » apparaît donc comme une modélisation
du possible qui contredit son statut d'objet.*

*The model as a form allows Saâdane Afif to bring
in the world of fiction as a possible way of operating
on reality. A work in the form of a scale model, the piece
refers us to another scale and referent.
Stratégie de l'inquiétude borrows its structure from
the relief map, i.e., a miniature landscape that has been
part of military strategy since the 16<sup>th</sup> century.
An intrinsically incomplete device, the "strategy of unease"
(stratégie de l'inquiétude) looks like a modeling
of possibility that contradicts its status as object.*

Une note de Marcel Duchamp, pour une œuvre jamais réalisée, souligne encore davantage sa vision collectiviste de l'activité artistique, et le rôle très circonstanciel qu'il accordait à la signature : « acheter ou peindre des tableaux connus ou pas connus et les signer du nom d'un peintre connu ou pas connu — *la différence* entre la "facture" et le nom inattendu pour les "experts", — est l'œuvre authentique de Rrose Sélavy, et défie les contrefaçons. (7) » Duchamp développe ici une problématique de l'écart (la « différence ») existant entre le style et le nom, l'objet et son contexte culturel et social. Rien de plus étranger au fétichisme de la signature inhérent au concept d'appropriation que cette esthétique des *rapports* entre les choses et les signes dont témoignent les readymades. Dans la pensée duchampienne, l'art commence dans cette zone « inframince » par laquelle le signe se décolle de ce qu'il est supposé signifier, dans le « jeu » ménagé entre le nom de l'artiste et l'objet qui le manifeste. À l'inverse, la relation de propriété s'avère tristement univoque : l'objet possédé, ou que l'on s'approprie, devient l'expression pure et simple de son possesseur, son double dans l'ordre juridique et économique.

(7)   Marcel Duchamp, <u>Notes</u>, Champs-Flammarion, Paris, 1999, p. 105.

One note by Duchamp for a work he never realized underscores further his collectivist view of artistic activity and the very temporary role he attached to signatures, "Buy or paint known or unknown pictures and sign them with the name of known or unknown painters—*the difference* between the 'workmanship' and the name that comes as a surprise to 'experts'—is the true work by Rrose Sélavy, and defies counterfeits." (7) Duchamp is developing here a theme around the separation ("difference") that exists between the style and the name, or the object and its cultural and social context. There is nothing more foreign to the fetishism of the signature inherent in the concept of appropriation than this esthetic of the *connections* between things and signs that the ready-mades display. In Duchamp's thinking, art begins in that "ultrathin" zone through which the sign is pealed away from what it is supposed to signify, in the "play" worked in between the artist's name and the object manifesting it. Conversely, the relationship of property proves sadly unequivocal. That is, the object that is possessed or appropriated becomes the expression of its possessor pure and simple, its double in the judicial and economic realm.

Le mouvement anti-copyright (« Copyleft »), dont l'internet représente à la fois le modèle et l'outil privilégié, lutte pour l'abolition du droit de propriété des œuvres de l'esprit, aboutissement logique de la fin des Temps Modernes. Comme l'écrit le groupe d'activistes réunis sous le nom de Critical Art Ensemble (8), « avant le Siècle des Lumières, le plagiat participait à la diffusion des idées. Un poète anglais pouvait prendre et traduire un sonnet de Pétrarque et se l'attribuer. La pratique était tout à fait acceptable et en accord avec l'esthétique classique de l'art comme imitation. La valeur réelle de cette activité résidait moins dans le renforcement d'une esthétique classique que dans la diffusion d'œuvres vers des régions qu'elles n'auraient pu atteindre autrement. » Dans Pour une critique de l'économie politique du signe, (9) Jean Baudrillard explique que « dans un monde qui est le reflet d'un ordre », la création artistique « ne se propose que de décrire. » L'œuvre d'art, poursuit-il, « se veut le commentaire perpétuel d'un texte donné, et toutes les copies qui s'en inspirent sont justifiées comme reflet multiplié d'un ordre dont l'original est de toute façon transcendant. Autrement dit, la question de l'authenticité ne se pose pas, et l'œuvre d'art n'est pas menacée par son double. » Les conditions de signification de l'œuvre d'art ont par la suite radicalement changé, puisqu'il s'agit de « préserver l'authenticité du signe », combat dans lequel la signature prend le rôle qu'on lui sait.

The anticopyright movement Copyleft, for which the Internet stands as both the model and the tool of preference, is fighting to abolish property rights for works of the mind, the logical conclusion of the end of the modern era. As the group of activists calling themselves the Critical Art Ensemble (8) have written, "before the Enlightenment, plagiarism participated in the spread of ideas. An English poet could take and translate a sonnet by Petrarch and call it his own. The practice was altogether acceptable and in agreement with the classic esthetic of art as imitation. The real value of this activity lay less in the reinforcement of a classic esthetic than in the spread of works towards regions that they could not have reached otherwise." In For a Critique of the Political Economy of the Sign, (9) Jean Baudrillard explains that "in a world that is a reflection of an order," artistic creation "only proposes to describe." The work of art, he adds, "aims to be the perpetual commentary of a given text and all the copies inspired by it are justified as the multiplied reflection of an order that the original transcends in any case. In other words, the question of authenticity does not come up and the work of art is not threatened by its double." The conditions of meaning for the work of art radically changed later on since it's now a question of "preserving the authenticity of the sign," a fight in which the signature plays the role we know so well.

(8)   Critical Art Ensemble, « Utopie du plagiat, hypertextualité et production culturelle électronique », in Libres enfants du savoir numérique, éditions L'Éclat, Paris, 2000, p. 381. Également disponible sur le site www.freescape.eu.org (this essay is also available at their site www.freescape.eu.org).

(9)   Jean Baudrillard, Pour une critique de l'économie politique du signe, Gallimard, Paris, 1972.

      For an English version, see For a Critique of the Political Economy of the Sign, trans. Charles D. Levin, St Louis: Telos Press, 1981.

Left wall text:

structures are more efficient than others.
riate.
structure will give rise to the creation of an appropriate structure.
opriate structure will effect it's collapse.
f a particular structure hinders the search for an appropriate

structure because it will always be mobile, ie in process.

Center screen text:

II

i)   8. There should be no difficulty in defining aim.
ii)   9. The appropriate structure will recognise structures outside itself.
iii) 10. The appropriate structure can work within any large structure.
iv) 11. Once the appropriate structure can work within any large
        structure, some larger structures are more efficient than others.
v)  12. There is no large structure that is universally appropriate.
vi) 13. Commitment to an aim by an appropriate structure within a
        larger, inappropriate structure will give rise to a large
        appropriate structure.
vii) 14. The quantitative structure is affected by qualitative action.

Right wall text:

...ive action is not bound by number.
...committed to qualitative action can a
...arrange on a scale outside its quantitative r
...ive action works by violence and breeds re
...ive action works by example and invites
...production.
...ection between independant structures is a
...ring of interacting units which is itself a struc
...rge structure of interacting units can wo
...arge structure of interacting units.
...ture, some structures of interacting units
...an than others.

L'organisation de l'art autour de la signature de l'artiste,
gage du contenu et de l'authenticité de son discours,
ne prend son plein essor qu'à la fin du dix-huitième siècle,
au moment où se déploie le système capitaliste manufacturier :
l'artiste lui-même va devenir la valeur monnayable centrale
du système de l'art, adapter ses principes de travail
sur le monde des échanges et son rôle, se rapprocher
de celui du négociant, dont le travail consiste à déplacer
un produit d'un lieu de fabrication vers un lieu de vente.
Que fait Duchamp avec ses readymades ? Il déplace
le porte-bouteilles d'un point à un autre de la carte
de l'économie — depuis la sphère de la production industrielle
jusqu'à celle de cette consommation spécialisée, l'art.

En utilisant comme « moyen de production » l'ensemble
de l'industrie humaine, Duchamp travaille à partir du *travail
accumulé* par les autres. Or la globalisation de la culture
a considérablement étendu le champ de ces produits utilisables :
le capital artistique n'a jamais été aussi important, l'artiste
jamais été en contact avec un tel potentiel de *travail accumulé*.
L'art de ce début du vingt-et-unième siècle porte la marque
de ce bouleversement. Puisque l'artiste est devenu
un consommateur de la production collective, le matériau
de son travail peut désormais provenir de l'extérieur,
d'un objet qui n'appartient pas à son univers mental personnel
mais, par exemple, à d'autres cultures que la sienne.
L'imaginaire contemporain est déterritorialisé, à l'image
de la production globale.

The organization of art around the artist's signature,
guarantee of the content and the authenticity of its discourse,
only really took off at the end of the 18th century,
when manufacturing capitalism began to spread. Artists
themselves would go on to become the central, bankable value
of the art system and adapt their work principles to the world
of exchanges, while their role would shift closer to that
of the merchant, whose work consists in moving a product
from where it is manufactured to where it is sold.
What did Duchamp do with his ready-mades? He shifted
the bottle rack from one point to another on the economic
map—from the sphere of industrial production to that particular
sphere of specialized consumption that is art.

By using human industry in its entirety as a "means of
production," Duchamp was working from the *accumulated labor*
of others. However, the globalization of culture has considerably
extended the field of these usable products. Thus, artistitic
capital has never been as important, the artist never in contact
with such a potential of *accumulated labor*. The art of the early
21st century bears the stamp of this upheaval. Since artists
have become consumers of collective production, the material
of their work can now come from the outside, i.e., from an object
that belongs not to their personal mental universe
but to cultures other than their own, for instance. Like global
production, the contemporary imaginary is deterritorialized.

« LA VIE ET LA MORT DES MOUVEMENTS ARTISTIQUES SEMBLENT UNE NOTION ABSURDE ; LES PÉRIODES DE L'HISTOIRE, QUOI QU'ELLES SOIENT, NE SONT PAS DES ORGANISMES ET LES ACTEURS PRINCIPAUX D'UNE ÉPOQUE NE S'ÉVEILLENT PAS UN MATIN EN DISANT : C'EN EST FINI DE L'ART ROMAN. LES MOUVEMENTS ARTISTIQUES SONT DES AFFAIRES COMPLEXES, EN PARTIE STYLISTIQUES ET EN PARTIE IDÉOLOGIQUES, FAITES DE PRATIQUES INCONSCIENTES ET DE CONVENTIONS DÉLIBÉRÉES ET TOUTE TRANSITION D'UNE ÉPOQUE À UNE AUTRE N'EST QU'UN FLOT QUI S'ÉCOULE, UNE ÉVOLUTION, LENTE OU RAPIDE. »

"The life and death of art movements seems like an absurd notion; periods of history, whatever they are, are not organisms and the main actors of one age do not wake up one morning saying, Romanesque art is finished. Art movements are complex affairs, partly stylistic, partly ideological, made up of unconscious practices and set conventions, and any transition from one age to another is a stream flowing by, an evolution, swift or slow."
Late-Modern Architecture, 1980.

# 3. Esthétique de la « réplique » : la défétichisation de l'art
## ESTHETIC OF THE REPLICA: THE DEFETISHIZATION OF ART

Comme le souligne le Critical Art Ensemble, « Si l'industrie ne peut plus s'appuyer sur le spectacle de l'originalité et de l'unicité pour différencier ses produits, sa rentabilité s'écroule **(10)** ». C'est à ce pilier de l'économie capitaliste que s'attaquent les artistes dont il est ici question : leurs œuvres sont désormais moins l'expression d'un style reconnaissable que d'une longueur d'ondes particulière dont le regardeur s'efforcera de suivre les modulations. La pratique artistique d'un Richard Prince, d'un Bertrand Lavier, d'un John Armleder ou d'un Allen Ruppersberg, pour ne citer que des artistes précurseurs de cette évolution, consiste à inventer des modes de codage et des protocoles d'usage pour des signes, pas à fabriquer des objets.

Ces pratiques *hypercapitalistes* reposent sur l'idée d'un art sans matière première, qui s'appuie sur le déjà-produit, « les objets d'ores et déjà socialisés », pour reprendre l'expression de Franck Scurti. Parfois même, l'acte de re-montrer ne se distingue pas de celui de re-faire — la différence est insignifiante, comme dans le travail de Jacques André, qui montre dans une exposition personnelle des œuvres d'autres artistes (une pièce de Jacques Lizène, par exemple), une frise mettant en scène des livres ou des disques récemment acquis, aux côtés d'une pile de livres de Jerry Rubin (Do It) dont il a rassemblé tous les exemplaires disponibles à Bruxelles.

As the Critical Art Ensemble points out, "if industry can no longer base itself on the spectacle of originality and singleness to differentiate its products, its profitability collapses." **(10)** The artists in question here are taking on precisely that pillar of the capitalist economy. Their works are less the expression of a recognizable style than the manifestation of a particular wavelength whose modulations viewers do their best to follow. The artistic practice of a Richard Prince, a Bertrand Lavier, a John Armleder or an Allen Ruppersberg, to mention only the artist-precursors of this evolution, consists of inventing encoding modes and usage protocols for signs, not producing objects.

These *hypercapitalist* practices remain grounded in the idea of an art that is devoid of raw materials and based on the already-produced, "objects that are already socialized," to borrow Franck Scurti's expression. Sometimes even, the act of re-mounting is indistinguishable from the act of re-doing. The difference is insignificant, as in the work of Jacques André, who has exhibited in one of his solo shows works by other artists (a piece by Jacques Lizène, for example), a frieze displaying recently acquired books and records next to a pile of books by Jerry Rubin (Do It), the artist having bought up all the copies of the work then available in Brussels.

(10) Critical Art Ensemble, op. cit. p. 382.

Fabriquer, concevoir, consommer : autant de facettes
d'une même activité dont l'exposition est le réceptacle
temporaire. Lorsque Dave Muller organise
l'un de ses « three-day weekend », exposition-événement
récurrent pour lequel il invite différents artistes,
il ne change pas de statut au profit de celui de curator :
travailler *avec* les signes émis par d'autres constitue la forme
même de son travail d'artiste. L'iconographie de ses dessins
provient d'ailleurs de matériaux para-artistiques
(cartons d'invitation, publicités, lieux d'exposition…)
mettant en scène des esthétiques hétérogènes unifiées
par le réalisme de son trait. Les dessins de Sam Durant mêlent,
quant à eux, Neil Young et Robert Smithson,
les Rolling Stones et l'art conceptuel, dans le cadre
d'une archéologie critique de l'avant-garde. Les installations
de Carol Bove explorent la même période historique,
ces années 65-75 pendant lesquelles expérimentation
artistique et expériences sur la vie quotidienne allaient
de pair et atténuaient la différence entre « haute culture »
et culture populaire à travers les utopies hippies.

C'est d'ailleurs l'univers musical qui nous fournit, aujourd'hui
encore, un modèle opératoire. Lorsqu'un musicien utilise
un *sample*, lorsqu'un DJ mixe des disques, ils savent
que leur propre travail pourra à son tour être repris et servir
de matériau de base pour de nouvelles opérations.

Manufacture, design, consume, so many facets of a single
activity the display of which is the temporary receptacle.
When Dave Muller organizes one of his "three-day weekends,"
a recurrent exhibition-event to which he invites different artists,
he isn't trading in his status for that of a curator.
Working *with* the signs emitted by others constitutes the very
form of his work as an artist. The iconography of his drawings,
moreover, comes from para-artistic materials
(invitations, advertisements, exhibition venues…) manifesting
disparate esthetics unified by the realism of his drawing.
Sam Durant's drawings, on the other hand, mix Neil Young
and Robert Smithson, the Rolling Stones and Conceptual Art
as part of a critical archeology of the avant-garde.
Likewise, Carole Bove's installations explore the same period
of history, the years between 1965 and 1975
when artistic experimentation and experiments in daily life
went hand in hand, reducing the difference between "high"
and popular culture through hippy utopias.

The world of music, moreover, provides us with an operational
model even today. When a musician samples or a DJ
mixes albums, they know that their own work
could be in turn taken up by someone else and serve
as a basic material for new operations.

À l'ère numérique, le *morceau*, l'œuvre, le film, le livre,
sont des points sur une ligne mouvante, les éléments
d'une chaîne de signes dont la signification
dépend de la position qu'ils y occupent. Ainsi, l'œuvre d'art
contemporaine ne se définit-elle plus comme la terminaison
du processus créatif, mais comme une interface,
un générateur d'activités. L'artiste bricole à partir
de la production générale, évolue sur des réseaux de signes,
insérant ses propres formes dans des chaînages existants.
Un long texte d'Allen Ginsberg, Howl, forme ainsi la matière
même de The Singing Posters (2003), œuvre dans laquelle
Allen Ruppersberg opère par transcodage, métamorphosant
en une installation complexe l'écriture du poète
de la Beat Generation. La « longueur d'ondes » d'une œuvre,
quelle qu'elle soit, peut se transférer d'un medium à un autre,
d'un format à un autre : la pensée plastique à l'ère numérique.

Sur quel principe, quel jeu de notions, quelle vision de la culture
se fondent ces pratiques de réécriture, d'utilisation d'œuvres
existantes ? S'agit-il d'un art de la copie, de l'appropriation ?
Nous l'avons vu, l'époque affirme au contraire le besoin
d'un collectivisme culturel, d'une mise en commun
des ressources, qui se manifeste, au-delà de l'art, dans toutes
les pratiques issues de la culture Internet.

In the digital age, the *piece*, the work, the film and the book
are points on a moving line, the links of a chain of signs
whose significance depends on the position they occupy there.
Thus, the contemporary artwork is defined no longer as the
endpoint of the creative process, but as an interface, a generator
of activities. Artists improvise things using the general output
and navigate networks of signs, inserting their own forms
in existing chainings. Howl, for example, a long text by Allen
Ginsberg, forms the very material of The Singing Posters (2003),
a work in which Allen Ruppersberg operates by code conversion.
The piece transforms the writing of the Beat poet into a complex
installation. The "wavelength" of a work, whatever it might be,
can be transferred from one medium to another, one format
to another. This is how artists think about form in the digital age.

On what principle then, what play of notions, what view
of culture are these practices of rewriting and using
existing works based? Do we have here an art of copying,
of appropriation? As we have seen, the age affirms the need
for a cultural collectivism, a pooling of resources,
which can be seen outside of art in all the practices
Internet culture has given rise to.

Could this be a cynical esthetic for which pillaging
is the overriding principle? Or is it a symptom of a generalized
amnesia that extends to the history of art? Yet when Durant
reproduces twelve copies of the image of a temporary artwork
by Robert Smithson (Upside Down: Pastoral Scene, 2002),
the source clearly appears. When Jonathan Monk "adapts"
Robert Barry or Sol LeWitt, the referent is also just as distinctly
displayed. Quotation is no longer an issue—no more than
the "novelty" so dear to those who wax nostalgic over modernism.

This esthetic would be incomprehensible if it weren't connected
with a general evolution of the kinds of problems that inspire
artists, which are shifting from space towards time.
Increasingly, artists are imagining their work from a temporal
point of view and no longer strictly in terms of space (11).
Here again, the changes effecting the world economy provide us
with a model for understanding this phenomenon.
The dematerialization of the economy, which the American
Jeremy Rifkin has termed "the Age of Access," boils down
to a progressive devaluation of property. (12) When a buyer
acquires an object, Rifkin explains, his or her relationship
with the seller is short-lived. In renting, however, the relationship
with the renting party is permanent. Incorporated in all kinds
of commercial networks and financial agreements
(renting, leasing, concession, rights of admission, adhesion
or subscription), the consumer sees his or her entire life
becoming a commodity.

S'agirait-il d'une esthétique cynique, pour laquelle le pillage
serait le maître-mot ? Ou encore du symptôme d'une amnésie
généralisée qui s'étendrait à l'histoire de l'art ?
À l'inverse, lorsque Sam Durant reproduit en douze
exemplaires l'image d'une œuvre éphémère de Robert Smithson
(Upside Down : Pastoral Scene, 2002), la source apparaît
clairement. Lorsque Jonathan Monk « adapte » Robert Barry
ou Sol LeWitt, le référent n'est pas moins nettement affiché.
La citation n'est plus un enjeu — pas plus que la « nouveauté »
chère aux nostalgiques du modernisme.

Cette esthétique serait incompréhensible si l'on ne la
rapportait pas à une évolution générale des problématiques
artistiques qui se déplacent de l'espace vers le temps ;
les artistes envisagent de plus en plus leur travail d'un point
de vue temporel, et non plus strictement spatial (11).
Là encore, l'évolution de l'économie mondiale nous fournit
un modèle de compréhension de ce phénomène :
la dématérialisation de l'économie, que l'américain Jeremy
Rifkin a décrit par la formule de « l'âge de l'accès »,
se résume à une progressive dévaluation de la propriété (12).
Quand un acheteur fait l'acquisition d'un objet, explique-t-il,
sa relation avec le vendeur est de courte durée.
Au contraire, dans le cas d'une location, le rapport
avec le prestataire est permanent. Incorporé dans toutes
sortes de réseaux commerciaux et d'engagements
financiers (location, leasing, concession, droits d'admission,
d'adhésion ou d'abonnement), le consommateur
voit sa vie toute entière devenir marchandise.

(11)  Sur cette problématique et ses développements dans l'art de ces dernières années,
on peut se référer à deux livres du même auteur : Formes de vie. Une généalogie de
la modernité, Denoël, Paris, réédition 2003 (et notamment le chapitre II, 3 : « L'oeuvre
comme événement ») ; ou encore Esthétique relationnelle, Presses du Réel, Dijon, 1998.

On this question and its developments in recent years, see two other books
by the same author, Formes de vie. Une généalogie de la modernité, second ed.
Paris: Denoël, 2003 (notably chapter II, 3, "L'oeuvre comme événement") ;
and Esthétique relationnelle, Dijon: Presses du Réel, 1998.

(12)  Jeremy Rifkin, L'âge de l'accès ; la révolution de la nouvelle économie,
La Découverte, Paris, 2000.

Jeremy Rifkin, The Age of Access: The New Culture of Hypercapitalism, Where All
of Life Is a Paid-for Experience, New York: Penguin Putnam, 2000.

BRUNO PEINADO, *Sans titre - Antipure 03*, 2003, batterie, plantes tropicales, peigne afro (drum kit, tropical plants, afro comb),
160 x 250 x 100 cm. Vue de l'exposition (view of the exhibition) <u>Kombi-Naçāo</u>, Centre d'art Paço das Artes, São Paulo.
Courtesy galerie Loevenbruck, Paris. Photo : Edouard Fraipont.

Dépassant les luttes utopiques, la tactique de résistance de Bruno Peinado consiste à infiltrer les systèmes pour mieux en révéler
les dysfonctionnements. C'est le cas de cette batterie « tropicalisée » (selon le terme d'Olivier Michelon), qui avec son peigne afro souligne
le caractère métis de son lieu de création, le Brésil. L'œuvre signale son contexte originel, ici la musique brésilienne, mais en dépasse le processus,
avec ces plantes envahissant l'objet et par-là même le dénaturant.

Beyond utopian struggles, Bruno Peinado has developed a resistance tactic that involves infiltrating systems to better reveal the ways
they malfunction. This is the case with this "tropicalized" (Olivier Michelon's expression) drum set, which underscores (with its afro comb)
the mixed black-and-white character of where it was created, i.e., Brazil. The piece makes plain its original context,
in this case Brazilian music, yet goes beyond the process, with plants invading the object and thereby changing its very nature.

Selon Jeremy Rifkin, « l'échange de biens entre vendeurs et acheteurs — caractéristique centrale de l'économie de marché moderne — est remplacé par un système d'accès à court terme opérant entre des serveurs et des clients organisés en réseaux. » En termes esthétiques, c'est le mode acquisitif qui se meurt, remplacé par une pratique généralisée de l'accès à l'expérience, dont l'objet n'est plus qu'un moyen. C'est là une évolution logique du système capitaliste : le pouvoir, jadis basé sur la propriété foncière (l'espace), s'est lentement déplacé vers le capital pur (le temps, à l'intérieur duquel l'argent « travaille »).

Qu'est-ce qu'une copie, une reprise, un remake, à l'intérieur d'une culture (au sens anglo-saxon du terme) qui valorise le temps au détriment de l'espace ? La répétition, dans le temps, se nomme une reprise ou une *réplique*. C'est ce dernier terme qui sert à qualifier le ou les tremblements de terre qui suivent le séisme originel. Ces secousses, plus ou moins atténuées, éloignées et identiques à la première, appartiennent à celle-ci sans toutefois la répéter, ni constituer des entités qui en seraient séparées. L'art de la postproduction, dans le cadre général de cette culture de l'usage que cette exposition tente de mettre à jour, relève de cette notion de réplique : l'œuvre d'art est un événement qui constitue la *réplique* d'une autre ou d'un objet préexistant ; éloignée dans le temps de « l'original » auquel elle est liée, cette œuvre appartient toutefois à la même chaîne d'événements.

According to Rifkin, "the exchange of goods between sellers and buyers—a central characteristic of the modern market economy—is being replaced by a system of short-term access operating between servers and clients organized in networks." In esthetic terms, the acquisitive mode is dying, replaced by a generalized practice of access to experience, the object of which is a means, nothing more. This is a logical evolution of the capitalist system, i.e., power, once based on landed property (space), is slowly shifting towards pure capital (time, inside which money "works").

What is a copy, a revival, a remake in a culture that values time at the expense of space? Repetition in time can be called a revival or an aftershock, a term designating of course the tremor or tremors following the original earthquake. Those tremors, more or less diminished, distant and identical to the first temblor, belong to, without repeating, the initial upheaval. At the same time, however, they do not constitute entities that are separate from it. In the overall framework of this culture of use, which the present show is trying to bring to light, the art of postproduction falls under this notion of the aftershock. The work of art is an event that represents the aftershock of either another work of art or a preexisting object. Temporally at a certain remove from the "original" it is connected with, this artwork is nevertheless part of the same chain of events.

ALLEN RUPPERSBERG, *The Bad Splice - Part II*, 2002, cinq panneaux de photographies en noir et blanc et projecteur d'effets spéciaux (five black and white photographic panels and special effects projector), 210 x 423,75 x 62,5 cm. Vue d'installation (installation view), galerie Micheline Szwajcer, Anvers, 2002. Courtesy galerie Micheline Szwajcer, Anvers. Photo : Philippe de Gobert.

Le septième art, est une source d'inspiration récurrente chez l'artiste. *The Bad Splice* se compose de cinq panneaux dont les deux panneaux latéraux représentent l'artiste et laissent entrevoir à chaque extrémité un morceau du buste et des jambes. Les trois panneaux du milieu reprennent divers aspects du cinéma : le générique, la fragilité à travers la pellicule abîmée, la technique, les grandes épopées historiques, le jeu d'ombre et de lumière et le point de collage erroné qui donne son titre à l'œuvre : *The Bad Splice*. Allen Ruppersberg s'immisce et se dissimule derrière ce condensé de cinéma.

Film is a recurrent source of inspiration for artists. *The Bad Splice* comprises five panels whose two lateral elements represent the artist and let us glimpse at each extremity a part of the bust or the legs. The three middle panels feature various aspects of film, i.e., the credits, fragility via the damaged film stock, technique, the grand historic epics, the play of light and shadow and the badly joined ends that lend their name to the piece, *The Bad Splice*. Allen Ruppersberg slips in and conceals himself behind this résumé of the cinema.

« DANS CETTE VIE NOUS TROUVERIONS
DONC DES CONTINENTS, DES ÎLES,
DES DÉSERTS, DES MARAIS,
DES TERRITOIRES SURPEUPLÉS
ET DES "TERRAE INCOGNITAE".
DE CETTE MÉMOIRE NOUS
POURRIONS DESSINER LA CARTE,
EXTRAIRE DES IMAGES
AVEC PLUS DE FACILITÉ (ET DE VÉRITÉ)
QUE DES CONTES OU DES LÉGENDES.
EN LE PARCOURANT SYSTÉMATIQUEMENT
J'ÉTAIS SÛR DE DÉCOUVRIR
QUE L'APPARENT DÉSORDRE DE
MON IMAGERIE CACHAIT UN "PLAN"
COMME DANS LES HISTOIRES DE PIRATES. »

"In this life we might find then continents, islands, deserts, swamps, overcrowded territories and 'terrae incognitae'. From that memory we could draw up a map, extract images with greater ease (and truth) than fairytales and legends. Going over it systematically, I was sure I was going to discover that the apparent disorder of my imagery concealed a 'map' as in pirate stories."
On his CD-Rom Immemory (published by the Pompidou Center)
A propos de son CD-Rom Immemory (édité par le Centre Pompidou)

Elle se situe sur l'exacte « longueur d'ondes » du séisme
originel, nous amenant à renouer avec l'énergie
dont elle est issue, tout en diluant celle-ci dans le temps,
c'est-à-dire en lui ôtant son caractère de fétiche historique.
Utiliser les œuvres du passé comme le font Bertrand Lavier,
Bruno Peinado ou Sam Durant, c'est réactiver une énergie,
affirmer l'activité des matériaux que l'on retraite.
C'est également participer à la défétichisation de l'œuvre d'art :
le caractère délibérément transitoire de l'œuvre d'art
n'est pas affirmé dans sa forme, celle-ci est parfois durable
et solide, et il ne s'agit plus d'affirmer une quelconque
immatérialité de l'œuvre d'art quarante ans
après l'art conceptuel. La « défétichisation » de l'art
ne concerne en rien son statut d'objet : les marchandises-
vedettes de notre temps n'en sont d'ailleurs pas,
comme le rappelle Jeremy Rifkin. Non, ce caractère transitoire
et instable est représenté dans les œuvres contemporaines
par le statut qu'elles revendiquent dans la chaîne culturelle :
un statut d'événement, ou de réplique d'événements passés.

It is situated on the precise wavelength of the original quake
and leads us to reconnect with the energy that first
gave rise to it while diluting that energy in time, i.e., removing
its historical-fetish side. To use works from the past
as Bertrand Lavier, Bruno Peinado or Sam Durant do
is to reactivate an energy and affirm the activity of the materials
being treated anew. It also amounts to taking part
in the defetishization of the work of art. That is, the deliberately
transitory character of the work of art is not asserted
in its form; that form sometimes proves lasting and solid
and it is no question of affirming a vague immateriality
of the work of art forty years after Conceptual Art.
In no way does the "defetishization" of art concern its status
as object. The star commodities of our age are not objects,
moreover—Rifkin reminds us of that. No, this transitory,
unstable character is represented in contemporary
works by the status they assert in the cultural chain,
the status of an event or aftershocks of events in the past.

CERCLE RAMO NASH, *Black Box*, 1998, métal laqué, câbles électriques, voyants verts, 3 ordinateurs et 3 consoles, programme « Sowana » (lacquered metal, electric cables, green lights, three computers and three consoles, "Sowana" programme), boîte (box) : 183 x 183 x 183 cm, dimensions variables selon installation (variable dimensions). Collection Frac Provence-Alpes-Côte d'Azur / Yoon-Ja & Paul Devautour.

*Black Box* est une œuvre issue de la collection Yoon-Ja & Paul Devautour, composée de six armoires métalliques formant un cube noir, en opposition et en complément au cube blanc que constitue la galerie. La *Black Box* du Cercle Ramo Nash fait appel à deux références formelles, l'une à l'œuvre de Tony Smith et l'autre à la fameuse « black box » de Norbert Wiener. Connectée au service de dialogues « Sowana », l'installation initie un échange de propos entre le spectateur et l'ordinateur. C'est bien l'échange la discussion participant d'un enrichissement progressif de chacun. C'est bien l'échange qui produit la valeur de l'information.

*Black Box*, a piece that comes from the collection of Yoon-Ja & Paul Devautour, is made up of six metal cabinets forming a black cube, contrasting and complementing the white cube formed by the gallery. Cercle Ramo Nash's *Black Box* calls to mind two formal references, one to the work of Tony Smith and the other to Norbert Wiener's famous "black box." Connected to the "Sowana" dialog service, the installation makes possible a dialog between the viewer and the computer. It is indeed the exchange The discussion translates into increasing enrichment for everyone. It is indeed the exchange that creates the value of information.

Sémionaute :
inventeur d'itinéraires
à l'intérieur
d'un paysage de signes.
Se dit d'un artiste dont
les œuvres produisent
ou matérialisent
des parcours singuliers
dans le champ culturel.

Semionaut: an inventor of itineraries through a landscape of signs. Said of an artist whose works produce or embody singular pathways in the field of culture.
Nicolas Bourriaud

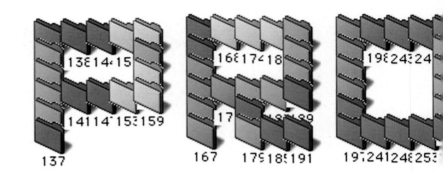

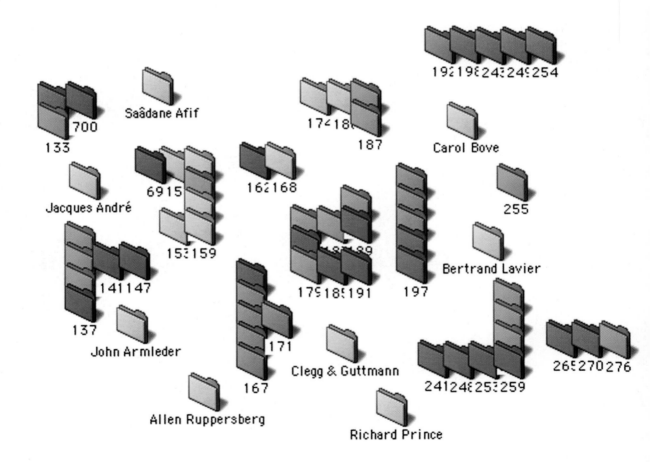

65270276 282

294 3 305

35135 36{373

384 39 403

380

29{299304 31

29{299 304 31

367

389 402 40{413

29
Jonathan Monk

35135
363

39 403

3 305
Sam Durant

36{373

384

Cercle Ramo Nash

380

282

294 304 31

387

389

402 40{413

367

Angela Bulloch

Samon Takahashi

Bruno Peinado

Pauline Fondevila

29{299

Rémy Markowitsch

Bjarne Melgaard

Dave Muller

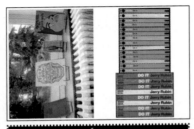

## SAÂDANE AFIF

## JACQUES ANDRÉ

## JOHN ARMLEDER

*SAÂDANE AFIF ET DANIEL PERRIER, Playback,*
insert. cat. *Playlist, 1998/2003/-, typo et photocopiage
quadri, 25 x 40 cm, d'après technique d'impression
de l'édition (grid typography and photocopying,
after book-printing techniques) ISBN 2-7022-0336-7,
Palais de Tokyo - Éditions Cercle d'art, Paris.*

*À gauche (left) : Canards et Guitares,
galerie Catherine Bastide, Bruxelles, 2002,
vue de l'exposition (view of the exhibition).
À droite (right) : Tentative d'épuisement de stocks
et achats à répétition, Do It de Jerry Rubin, 2003.
Courtesy Galerie Catherine Bastide, Bruxelles.*

*D'après (from) Bentley and Humphrey's,
Snow Crystals, New York: Dover Publications Inc.,
1962, pp. 111, 113, 141, 178.*

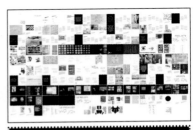

## CAROL BOVE

## ANGELA BULLOCH

## CERCLE RAMO NASH

*Première page (first page) : communiqué de presse
original de Tactile Gallery à l'Exploratorium,
San Francisco (the original press release from
the Tactile Gallery at the Exploratorium
in San Francisco). Deuxième page (second page) :
Mildred Constanitine, Jack Lenor Larsen,
Beyond Craft: The Art Fabric, New York :
Van Nostrand Reinhold Company, 1972, p. 91.
L'installation reproduite, Situation 2,
est de Magdalena Abakanowics
(the installation depicted, Situation 2,
is by Magdalena Abakanowics). Troisième page
(third page) : The Performance Group, Dionysus
in 69, New York : Farrar, Straus and Giroux, 1970,
pas de pagination (unpaginated). Quatrième page
(fourth page) : Timothy Leary, Neurologic,
tract, publication à compte d'auteur
(self-published pamphlet), 1973, p. V-1.*

*Rule Series: DJ Booth, 2004, wallpainting,
dimensions variables (variable dimensions).
Courtesy 1301 PE, Los Angeles.*

*NCSA 1993 VS SNCF 2003, mosaïque et chemin
de fer (mosaic and overview of the catalogue)*

## CLEGG & GUTTMANN

## SAM DURANT

*À gauche (left) : Library Fragment Beginning
with Proust and Ending with Freud, 2002,
80 x 130 cm. Courtesy Lia Rumma Gallery, Milan.
À droite (right) : Library Fragment Beginning
with Babel and Ending with Bach, 2002,
80 x 130 cm. Courtesy Lia Rumma Gallery, Milan.*

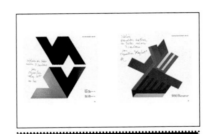

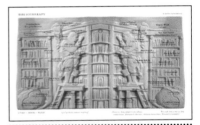

## PAULINE FONDEVILA

## BERTRAND LAVIER

## RÉMY MARKOWITSCH

## BJARNE MELGAARD

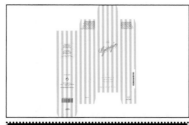

## JONATHAN MONK

## DAVE MULLER

*Sometime in Summer 2001*, 2003, acrylique sur papier (acrylic on paper), 2 parties, chacune (2 parts, each) : 81,5 x 101,5 cm. Photo : Daniel Moulinet.

## BRUNO PEINADO

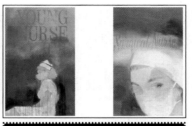

## RICHARD PRINCE

## ALLEN RUPPERSBERG

*Good Stuff 2*, 2002, 54 cartes à jouer en bois peintes (54 playing cards in painted wood), chaque carte (each card) : 173 x 115 cm. Courtesy Galleria Continua, San Gimignano. Photo : Ela Bialkowska.

À gauche (left) *Young Nurse Rayburn* et à droite (right) *Surgical Nurse*, 2002, impression jet d'encre et acrylique sur toile (ink jet print and acrylic on canvas), 147 x 91 cm. Courtesy et collection Sadie Coles HQ, Londres.

Pour la série des « nurse paintings », Richard Prince réalise des peintures à partir de couvertures de romans roses des années 60, agrandies sur toiles puis retravaillées. Entre « pulp fiction » et culture pop, ces images d'infirmières aguicheuses dévoilent la nostalgie d'une certaine Amérique.

For his series of "nurse paintings," Richard Prince painted pictures after the covers of romance novels from the 1960s, which were blown up on canvases and reworked. Between pulp fiction and pop culture, these images of seductive nurses reveal a nostalgia for a particular America.

*The Singing Posters*, 2003, installation, technique mixte (mixed media). Courtesy Art & Public, Genève et Studio Guenzani, Milan.

## SAMON TAKAHASHI

*La circonférence des oiseaux*, 2003, enregistrement sonore (audio recording).

Partant d'un chant d'oiseau pour y retourner, en passant par une soixantaine d'extraits sonores, *La circonférence des oiseaux* est une proposition de classification prenant la forme d'un ouroboros sonique. Prenant exemple sur la notion darwinienne (contestable) de l'évolution, et des migrations qu'elle implique, la séquence bouclée est constituée d'une suite d'exemples sonores et musicaux se succédant par analogie texturale et « phonomorphique » (le timbre, le grain, et le corps du son).

Une façon de créer une « histoire naturelle » de la musique qui ne soit ni chronologique, ni culturelle, ni linéaire. Le cycle tend à faire l'inventaire des objets sonores les plus simples, constitutifs de toute forme musicale, comme s'il y avait pour la musique un nombre de morphèmes limités, mais dont l'organisation et les variations seraient infinies. Le titre est un détournement du titre de la pièce de Peter Brook *La conférence des oiseaux*.

Starting with a bird call and eventually returning to it by way of some sixty sound excerpts, the *Circonférence des oiseaux* (circumference of birds) is a proposed classification that assumes the shape of a sound "ouroboros" (Greek for "tail-devouring"). Modeled on the Darwinian (debatable) notion of evolution and the migrations that that idea implies, the looping sequence here comprises series of sound and music samples that are arranged by textural and "phonomorphic" analogy (timber, texture and body of the sound). It is a way of creating a "natural history" of music that is neither chronological, cultural, nor linear. The cycle tends to list the simplest sound objects, the constituents of every musical form, as if there were a limited number of morphemes for music, while their organization and variations are infinite. The title is a displacement of the title of a work staged by Peter Brook, *La conférence des oiseaux*.

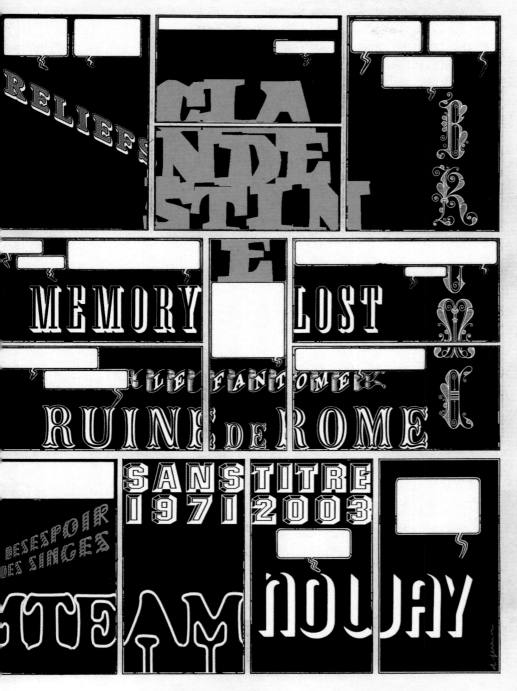

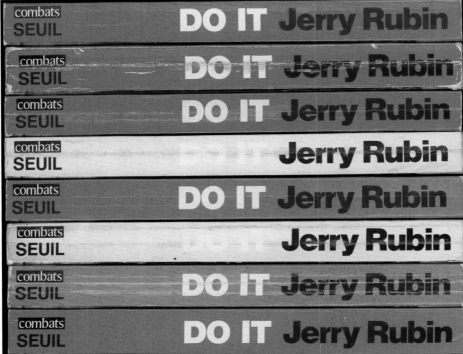

An internal sculpture exhibit which people will feel but never see goes on exhibit September 9, 1971 at the Exploratorium in San Francisco's Palace of Fine Arts.

The exhibit, called the Tactile Dome, is encased in a geodesic dome about the size of a large weather balloon. Visitors enter through a light-lock room into a totally dark maze (path). Then, for an hour and fifteen minutes, they feel, bump, slide and crawl through and past hundreds of materials and shapes which blend, change and contrast.

The purpose is to disorient the sensory world so that the only sense the visitor can rely on is touch. The sensation is so outside ordinary experience that a few people panic. An attendant in a control panel can reach every part of the ant-hill like maze almost instantly.

Pre-opening visitors have compared the experience to being born again, turning yourself inside out head first, being swallowed by a whale, and inevitably, being enfolded in a giant.

Seemingly the tactile equivalent of a light show, the tour is actually a carefully planned and structured succession of shapes, temperatures and textures which require the full range of the touch sense to perceive.

The idea is to make people aware of what a complex, sensitive and under used sense touch is, and to train them to use the astonishing range of its perception, which include detection of pressure, pain, temperature and kinesthesia, as well as cutaneous, internal body and muscle awareness.

Dr. August F. Coppola, whose brainchild the exhibit is, became interested in perceptual prejudice while directing interdisciplinary studies as head of California State College's Honors Program. He gradually came to realize that philosophy, physics and even psychology have always relied overwhelmingly on visual evidence to interpret the world.

"Yet the irony is that touch is still the test of reality," said Coppola. It's the tangible, the concrete, what you can put your finger on when your feet are on the ground.

Coppola believes people are actually prejudiced against the touch sense. "It's development gets off to a bad start," he said, "for as soon as we've stopped chewing our toes, the first commandment in life is given: "Don't touch". The Exploratorium is one of the few museums in the world where visitors are encouraged to touch and even manipulate the exhibits."

One result of the touch taboo, Coppola believes, is that people become leery of physical contact with each other and the environment and that this leads to a sense of isolation and loneliness.

As evidence of our overly-visual values, Coppola points to the overemphasis on fashionable clothes and the benefits of tourism. "This route leads to passive, non-participatory activities like TV watching," he said.

Coppola and Carl Day, co-developer of the Tactile Dome, and gallery director at California State College in Long Beach, are leaders in an art revolution which uses people as participants in art experience rather than as targets at which to hurl artistic messages. They believe the revolution, if successful, will greatly affect not only art, advertising and industrial design, but even life styles and basic beliefs.

Both claim that improving your haptic powers also increases your visual skill.

**The Rapture Circuit** mediates the experience registered by the external sense organs and the internal sense organs. Afferent signals form the somatic system: breathing, circulation, sex, ingestion, digestion, elimination, sympathetic (emergency). And from the external receptors: optical, aural, tactual, taste, smell, temperature, pressure, pain, balance, kinaesthetic, electro-aesthetic. The rapture imprint occurs the first time the space imprints are transcended and the aesthetic impact of direct sensation is received. Up until this time the internal and external sense organs have served to provide sensory cues for the larval conditioned systems. "Red is for stop; green is for go." During rapture "red" and "green" are seen as areas of pulsating light energy varying in intensity, wave-frequency, and duration. The eye does not " see things" but registers direct sensation uninterrupted by third circuit thinking. When this circuit is operating, intensity of sensation is dramatically increased, the duration of awareness seems longer because of the naked focus of attention, and the pattern is expanded because there is no longer figure-ground but a complex pattern of energy. Since the nervous system operates as a bio-chemical-electrical network, rapturous experience interacts with and must be integrated with space conditionings. The conditional cues from the larval circuits are not wiped out but are harmonized (often humorously) with the undulating waves of direct sensation. It is clear that we are considering here the modes of perception attained by Fechnerian introspectionists, Zen masters, artists, marijuana adepts – meta-rational, polymorphous-erotic, hedonic.

## Dj Booth

1. Say 'HI' then 'BYE' (Better yet, wave from the dance floor.

2. If DJ is in position he obviously cannot speak to you.

3. No person in this booth is employed by a record store.

4. The dance floor is where all the people are dancing – NOT HERE!

5. Since the DJ doesn't dj in the lounge, the loungers shouldn't lounge in the DJ booth.

6. When in the DJ booth, if you find yourself saying 'Excuse me' more than once, then you should excuse yourself from the booth.

www.immediate.org/playlist

PROJETS

VIDEOS

# CLEGG &

# GUTTMANN

Top shelf *(from left to right)*

The Complete Works of Isaac Babel
A Companion to Wittgenstein's "Philosophical Investigations" - Garth Hallett
Il Dono - The Gift: Exhibition Catalogue
Downcast Eyes - Martin Jay
Selected Poems - Jorge Luis Borges
Selected Non Fiction - Jorge Luis Borges
Collected Fiction - Jorge Luis Borges
Unite Project - Volume 3
El Libro de Arena - Borges
Citizens - Simon Schama
The Embarrassment of Riches - Simon Schama
The Embarrassment of Riches - Simon Schama
Art in Theory 1900 - 1990 - Harison & Wood
The Complete Works of William Shakespeare Illustrated by Rockwell Kent

Middle shelf *(from left to right)*

Rembrandt's Eyes - Simon Schama
Rembrandt's Eyes - Simon Schama
Rembrandt Paintings - A. Bredius/H. Greson
Reading Rembrandt - Bal
CCSIS - Creative Community Seriously I Swear
Klassiker Der Kunst VIII - Rembrandt II - Deutsche Verags Anstalt Stuttgart
Rembrandt's Self-Portraits - Chapman
Rembrandt's Enterprise - Svetlana Alpers
Rembrandt - The Complete Edition of the Painting - A. Bredius/H. Gerson
Wonders of Animal Life - J. A. Hammerton Editor
Wonders of Animal Life - J. A. Hammerton Editor
Museum Bredius - Catalogus Van de Schildrijen
The Art of Describing - Svetlana Alpers
Corpus Rubenianum Ludwig Burchard IX, The Decoration
of the Torre De La Parada - Svetlana Alpers
Tintoretto - Hans Tietze
Tibetan Thangka Painting - David & Janice Jackson
The Mandala Sacred Circle in Tibetan Buddhism - Brauen
Clegg & Guttmann - Galleria Civica Di Arte Contemporanea Trento

Bottom shelf *(from left to right)*

Sammlung Grässlin - Kippenberger
Art after Philosophy and After - Kosuth
Art after Philosophy and After - Kosuth
Pollock and After - Edited by Francis Frascina
The Originality of the Avant-Garde and
Other Modernist Myths - Krauss
Chardin
Franz West - Proforma
The Making of Rubens - Svetlana Alpers
Painters and Public Life in Eighteenth Century Paris - Crow
Emulation, Making Artist for Revolutionary France - Crow
Quasi una Fantasia - Theodor W. Adornow
The Cantatas of J.S.Bach Sacred & Secular Volume I - Whittaker
The Cantatas of J.S.Bach Sacred & Secular Volume II - Whittaker
Interpreting Bach's Well-Tempered Clavier - Kirkpatrick
The New Bach Reader - David Mendel Wolff
J. S. Bach - Volume One - Schweitzer
Johann Sebastian Bach - Vol. III - Spitta
Matthäus Passion - Bach
Sechs Partiten - Bach
Album für die Jugend - Schumann
Klavier Werke 2 - Bach
Das Wohltemperierte Klavier - Teil I - J.S. Bach

# Music Index for Upside Down: Pastoral Scene

Title          Crossroad Blues
Artist         Robert Johnson
CD/Album       Robert Johnson: The Complete Recordings
Date/Label     1990 Columbia Legacy
Publisher      King of Spades Music (BMI)

Title          Come Sunday (a cappella)
Artist         Duke Ellington and His Orchestra Featuring Mahalia Jackson
CD/Album       Black, Brown and Beige
Date/Label     1999 Columbia Legacy

Title          Dialectics for Two Grand Pianos
Artist         Donal Fox
CD/Album       Videmus: works by T.J. Anderson, David Baker, Donal Fox and Olly Wilson
Date/Label     1992 New World Records
Publisher      Margun Music Inc.

Title          Strange Fruit
Artist         Billie Holiday
CD/Album       The Definitive Billie Holiday
Date/Label     2000 Verve

Title          Destroy Babylon
Artist         Bad Brains
CD/Album       Rock for Light
Date/Label     1991 Caroline Records
Publisher      Bad Brains Publishing (BMI)

Title          Outer Space Employment Agency
Artist         Sun Ra
CD/Album       Outer Space Employment Agency
Date/Label     1999 Alive/Total Energy
Publisher      Interplanetary Music (BMI)

Title          Fear of a Black Planet
Artist         Public Enemy
CD/Album       Fear of a Black Planet
Date/Label     1990 Def Jam/Columbia
Publisher      Def American Songs (BMI)

Title          We Are Family
Artist         Sister Sledge
CD/Album       The Best of Sister Sledge
Date/Label     1992 Rhino Records

Title          Blues for Abraham Lincoln
Artist         John Lee Hooker
CD/Album       The Detroit Lion
Date/Label     1990 Demon Records Ltd.

Title          Piss on Your Grave
Artist         The Coup
CD/Album       Steal This Album
Date/Label     1998 Dogday Records
Publisher      Field Negro Music (ASCAP)

Title          Mississippi Goddam
Artist         Nina Simone
CD/Album       Nina Simone Sings Nina
Date/Label     1996 Verve

| | |
|---|---|
| Title | Police State |
| Artist | Dead Prez |
| CD/Album | Let's Get Free |
| Date/Label | 2000 Loud Records |
| Publisher | Ghetto Martial Arts Music/The War of Art Music (BMI) |
| | Hihosilver Music/Donkor Music (ASCAP) |
| Title | Meditations on Integration (parts I and II) |
| Artist | Charles Mingus |
| CD/Album | Thirteen Pictures, the Charles Mingus Anthology |
| Date/Label | 1993 Rhino Records |
| Publisher | Jazz Workshop Inc. (BMI) |
| | |
| Title | Assassination |
| Artist | Elaine Brown |
| CD/Album | Seize The Time |
| Date/Label | Vault Records |
| Publisher | Vault Publishing Co./Elaine Brown Publishing (BMI) |
| | |
| Title | America the Beautiful |
| Artist | Leontyne Price |
| CD/Album | The Essential Leontyne Price |
| Date/Label | 1996 BMG Classics |
| | |
| Title | I Wanna Kill Sam |
| Artist | Ice Cube |
| CD/Album | Death Certificate |
| Date/Label | 1991 Priority Records |
| Publisher | Gangsta Boogie Music/Bizzy Boy Musick (ASCAP) |
| | |
| Title | Ascension |
| Artist | John Coltrane |
| CD/Album | The Major Works of John Coltrane |
| Date/Label | 1992 Impluse/MCA Records |
| Publisher | Jowcol Music (BMI) |
| | |
| Title | Black Unity |
| Artist | Pharaoh Sanders |
| CD/Album | Black Unity |
| Date/Label | 1997 Impulse/MCA records |
| Publisher | Ferrel Sanders Music (BMI) |
| | |
| Title | Maggot Brain (intro) |
| Artist | Funkadelic |
| CD/Album | Maggot Brain |
| Date/Label | 1971 Westbound Records |
| Publisher | Bridgeport Music, Inc. |
| | |
| Title | Wars of Armageddon |
| Artist | Funkadelic |
| CD/Album | Maggot Brain |
| Date/Label | 1971 Westbound Records |
| Publisher | Bridgeport Music, Inc. |
| | |
| Title | Underground |
| Artist | Curtis Mayfield |
| CD/Album | Roots |
| Date/Label | 1999 Curtom Records/Rhino Entertainment C. |
| | |
| Title | (Don't Worry) If There's a Hell Below We're All Gonna Go (intro) |
| Artist | Curtis Mayfield |
| CD/Album | Curtis |
| Date/Label | 1992 Curtom Records Inc. |
| Publisher | Curtis Mayfield/CAMAD Music (BMI) |
| | |
| Title | Dancing in the Street |
| Artist | Martha Reeves and the Vandellas |
| CD/Album | The Best of Martha Reeves and the Vandellas |
| Date/Label | 1999 Motown Record Co. |

When I was born in '61 they already had a hit, they worked so hard and they made it too. They really were very good, they deserved all their success, they earned it, yes they did, they didn't buy their respect. And everybody wanted to be like him, everybody wanted to be the Beatles and I really wanted to be like him but he died. A legendary rock group like history now to read like a magical fairy tale that's hard to believe. But it really did happen, four lads who shook the world, god bless them for what they done. God bless them for what they

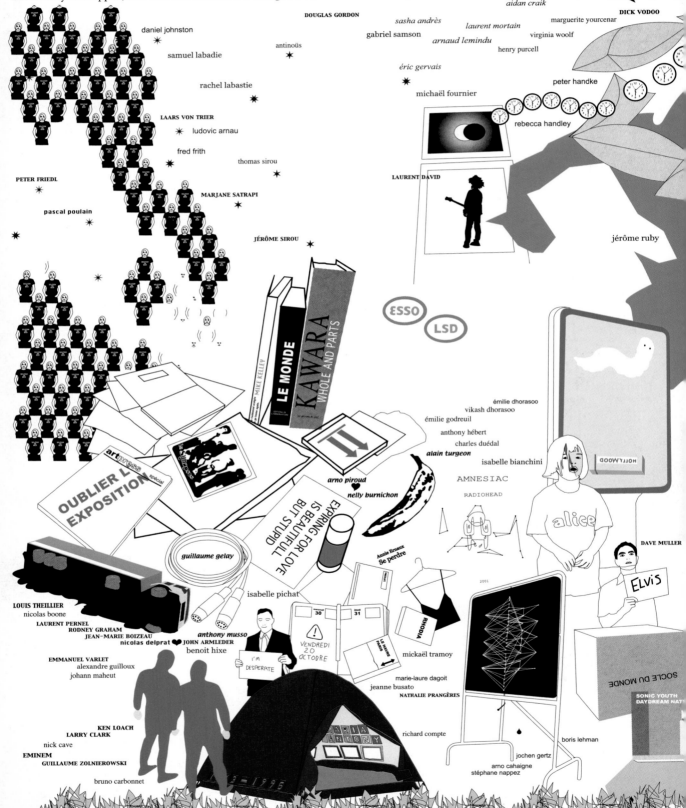

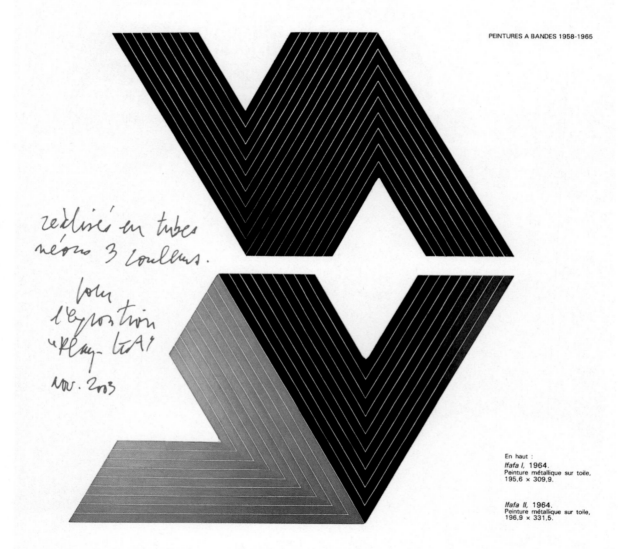

réalisé en tubes
néons 3 couleurs.

pour
l'exposition
«Play-LAP

nov. 2003

En haut :
*Ifafa I*, 1964.
Peinture métallique sur toile,
195,6 × 309,9.

*Ifafa II*, 1964.
Peinture métallique sur toile,
196,9 × 331,5.

53

*réalisé*
*grandeur nature*
*en tubes néons*
*7 couleurs.*

*pour*
*l'exposition "playlist"*

*BV*

*Parzeczew II*, 1971.
Assemblage et collage, toile et papier peints,
feutre découpé sur châssis, 285,5 × 284.

81

# BIBLIOTHERAPY

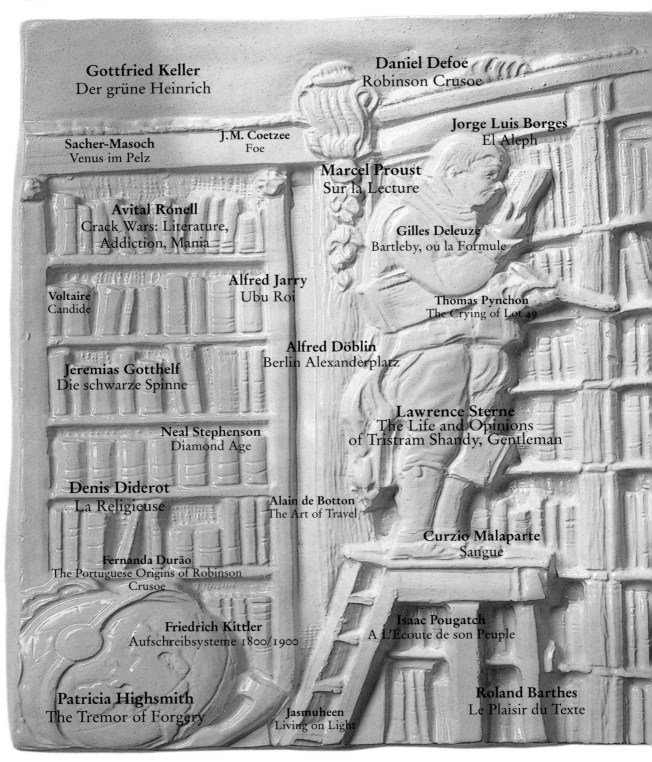

Gottfried Keller
Der grüne Heinrich

Daniel Defoe
Robinson Crusoe

Sacher-Masoch
Venus im Pelz

J.M. Coetzee
Foe

Jorge Luis Borges
El Aleph

Marcel Proust
Sur la Lecture

Avital Ronell
Crack Wars: Literature,
Addiction, Mania

Gilles Deleuze
Bartleby, ou la Formule

Alfred Jarry
Ubu Roi

Voltaire
Candide

Thomas Pynchon
The Crying of Lot 49

Jeremias Gotthelf
Die schwarze Spinne

Alfred Döblin
Berlin Alexanderplatz

Lawrence Sterne
The Life and Opinions
of Tristram Shandy, Gentleman

Neal Stephenson
Diamond Age

Denis Diderot
La Religieuse

Alain de Botton
The Art of Travel

Curzio Malaparte
Sangue

Fernanda Durão
The Portuguese Origins of Robinson
Crusoe

Friedrich Kittler
Aufschreibsysteme 1800/1900

Isaac Pougatch
A L'Écoute de son Peuple

Patricia Highsmith
The Tremor of Forgery

Jasmuheen
Living on Light

Roland Barthes
Le Plaisir du Texte

LIVRE — BOOK — BUCH

*Quel qu'il soit, toujours trop long!*

**Gustave Flaubert**
Bouvard et Pécuchet

**Virginia Woolf**
Orlando

**Alberto Manguel**
A History of Reading

**Marc-Alain Ouaknin**
Bibliothérapie Lire, c'est guérir

**Yvan Leclerc**
La Spirale & le Monument

**Edmond Jabès**
Du désert au livre

**Thomas Morus**
Utopia

**Michel Foucault**
Un «fantastique» de bibliothèque

**Simone de Beauvoir**
Les Belles Images

**Jean-Paul Sartre**
L'Idiot de la famille

**Herman Melville**
Bartleby the Scrivener

**Jacques Derrida**
L'Écriture et la Différence

**Maurice Blanchot**
Le livre à venir

**Julian Barnes**
Flaubert's Parrot

**Elfriede Jelinek**
Lust

**James Ellroy**
The Black Dahlia

**Alberto Manguel and Gianni Guadalupi**
The Dictionary of Imaginary Places

**John Belchem**
Merseypride

**Winfried G. Sebald**
Die Ausgewanderten

**Yousuf Choudhury**
Sons of the Empire

**Oswald Wiener**
Bouvard und Pécuchet
im Reich der Sinne

**Jeremy Paxman**
The English

**Claude Lévi-Strauss**
Tristes Tropiques

*Always too long, whatever the subject.*          *Wie auch immer, stets zu lang.*

**Gustave Flaubert**  [Dictionnaire des idées reçues — Dictionary of received ideas — Wörterbuch der Gemeinplätze]

# SCREEN PLAY SKETCH

1) I WISH I PLAYED A SEXUALLY REPRESSED LAWYER IN INGMAR BERGMAN'S NEW MOVIE

2) YOU HOLD ALL YOUR PERSONAL EXPERIENCES AWAY FROM ME BECAUSE YOU FEEL IT'S NOT ~~AN INSTANT~~ ANYTHING YOU CAN GAIN SOMETHING FOR BY TELLING ABOUT IT.

3) YOUR SILENCE IS THE WORDS YOU THINK I AM NOT WORTH HEARING

B) BAG ME

5) CASUAL HATE

6) WHITE

(7) ANY DISEASE IN THIS
SOCEITY IS HEALTHIER
THAN ~~ANYONE~~ THIS SOCIETY
WE LIVE IN

(8) A GAY MAN IS NOT A MAN
BY OUR SOCIETYS STANDARDS.
MEN FUCK WOMEN AND GAYS CANT.
SO MEN KILL AND WOMEN GIVE LIFE
SO THE ONLY WAY A GAY GUY CAN
BE A MAN IS TO KILL SOMEBODY

(9) GAY LIBIRATION IS WHEN A
FAG TAKE A GUN AND BLOW
OF THE HEAD OF THE ONE
WHO SUPRESSES THEM.
~~NO MORE PARCUES AND FLAGS~~

(10) GIVE AND RECIVE

(12)

# PLAYLIST

CUNAHAN
RAPE MAGAZINE     WE JUST HAVE TO
                 MUCH TO SAY
                 THATS THE PROBLEM

PET HORNY

GANABOL          500 mg

DECA - DURABOLIN   200 mg

TESTORONE   ENTHATE   250 mg

SLAYER YOUTH
SOCIAL - SENTEMENTALISM
POST - EPEDEMIC

ANABOLIC WARRIORS

SNORRE RUCH      IF WE ASK SO MANY
                 QUESTIONS AND THERE
                 IS NO ANSWER MAYBE
TOY MAGAZINE     WE INSTEAD SHOULD ASK
                 DIFFERENT QUESTIONS...

THE GIFT

SUPER LOW

RAPE MAGAZINE

INTERIUE TONY OM
STEROID BRUK

INTERIUE BALLON GUY OM LAURA BOLIN


PITY PICK UP

DO J NOT PICK UP BECAUSE
J AM TO GOOD LOOKIN OR
JUST TO OLD


EVERYBODY HATES SOMEBODY


CRISTIANE F RECORDS


PITY SEX RECORDS

INGREDIENTS:
ALCOHOL DENAT. ·
PARFUM · AQUA ·
BENZOPHENONE-2

US/CONTAINS:
ALCOHOL DENAT. ·
FRAGRANCE · WATER ·
BENZOPHENONE-2

Caution · Flammable
Keep away from heat or flame

Ref. No. 03369

P&G Prestige Beauté
Geneva · London EC1A 4DD, UK
Made in UK
www.giorgiobeverlyhills.com

50137776

7 15885 00008 2

3247

EAU DE TOILETTE

NATURAL SPRAY

VAPORISATEUR

ml € 3.0 Fl. Oz.

131000
⑫
4404430503
5

INGREDIENTS:
ALCOHOL DENAT. ·
PARFUM · AQUA ·
BENZOPHENONE-2

US/CONTAINS:
ALCOHOL DENAT. ·
FRAGRANCE · WATER ·
BENZOPHENONE-2

Caution · Flammable
Keep away from heat or flame

Ref. No. 03369

P&G Prestige Beauté
Geneva · London EC1A 4DD, UK
Made in UK
www.giorgiobeverlyhills.com

7 ‖ 15885 00008 ‖ 2

50137776

3247

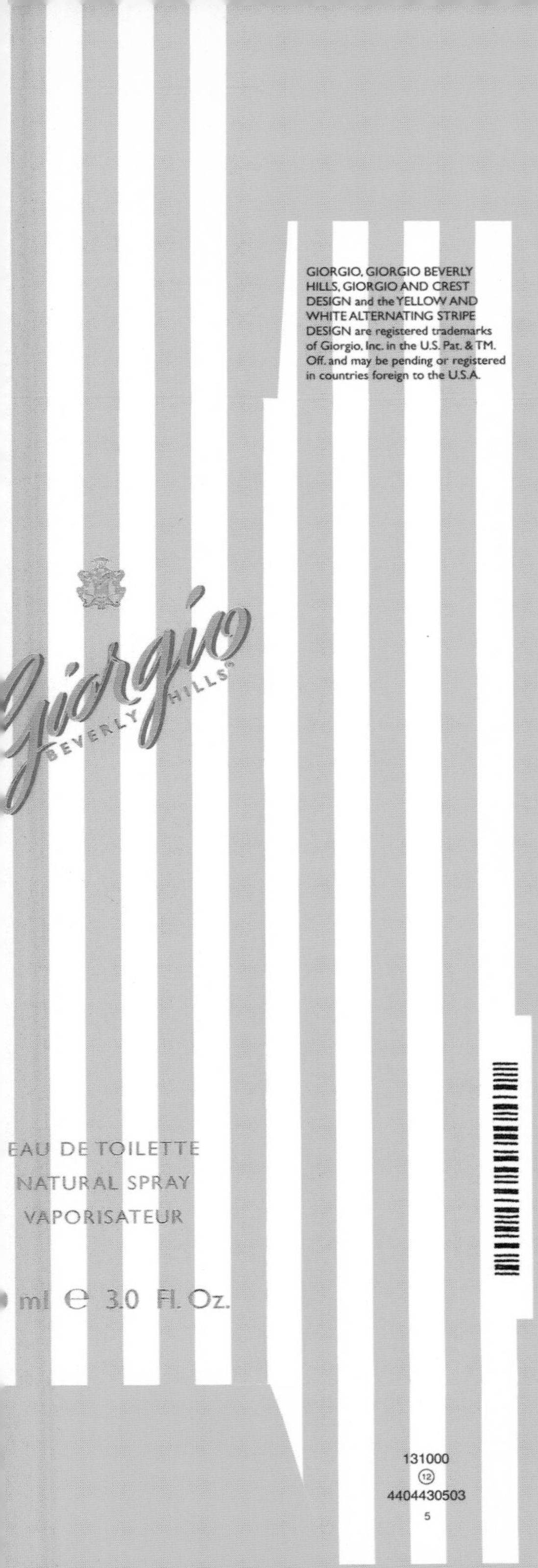
GIORGIO, GIORGIO BEVERLY HILLS, GIORGIO AND CREST DESIGN and the YELLOW AND WHITE ALTERNATING STRIPE DESIGN are registered trademarks of Giorgio, Inc. in the U.S. Pat. & TM. Off. and may be pending or registered in countries foreign to the U.S.A.
Giorgio
BEVERLY HILLS
EAU DE TOILETTE
NATURAL SPRAY
VAPORISATEUR
ml ℮ 3.0 Fl. Oz.
131000
12
4404430503
5

soundaspects

34711

FANIA ALL-STARS     RHYTHM MACHINE

PERFORMANCE JAMES FOX • MICK JAGGER • JAMES BALDWIN     GREATEST HITS
Anthony Braxton Composition 113

MM     Kraftwerk

V5 8900     BLUESMITH     Jimmy Smith

JOHN COLTRANE
ET 913 DLP

MICHAEL ROTHER     KATZENMUSIK     SKY 033

GIANT STEPS
EASY TEMPO VOL. 1 • A CINEMATIC EASY LISTENING EXPERIENCE

WINDFALL AND STEREO

ELECTRIC LIGHT ORCHESTRA

AVIII 8005 • HITS

GREATEST HITS

BE IT HAPPEN

NU YORICA ROOTS!

JIMMY SMITH     I'M GON' GIT MYSELF TOGETHER

.184 SE 4751

NAUGHTY BOYS
YMO

DYNAMIC DYIA  .001

DANCE

SANTANA'S GREATEST HITS

PC 33050     RCA  NL 37726     IGGY POP  LUST FOR LIFE/THE IDIOT

WOUND-UP OPERA  RARE ANTIQUE MUSIC BOXES FROM THE RITA FORD COLLECTION

MS 7338     EARTH, WIND & FIRE     OPEN OUR EYES
TAKE COVER     SHANACHIE  43045

TALES OF MOZAMBIQUE

STAX STEREO STX-4106     THE BAR-KAYS   MONEY TALKS

PHAROAH SANDERS BLACK UNITY

STEREO

TAUHID   PHAROAH SANDERS

BN 26481

PRO-1217                                                    IMP-219      IMPULSE!

DONOVAN          PRETENDERS

RUN-D.M.C.

DONOVAN          3ARABAJAGAL

THE HEARTBEAT OF SOWETO
NANCY SINATRA & LEE HAZLEWOOD

UAS 5504   UNITED ARTISTS   JOHN BARLEYCORN MUST DIE! · TRAFFIC

ADD N TO (X)                                                RAISING HELL

TWO INJ361 TO INJURY

DRUM DROPS VOL. FOUR                                        SIRE RECORDS COMPANY

... OF COURSE   T.E. JIMMY CASTOR KUNCH ...

HEAT!                                                       © ℗ 1979 Music Tree Corporation

QUIMBO QUIMBUMBIA · CELIA CRUZ/TITO PUENTE · TICO RECORDS

... DIP                                                     PUCHO & THE LATIN SOUL BROTHERS

SLY & THE FAMILY STONE       GREATEST HITS

ISAAC HAYES/HOT BUTTERED SOUL           400 BLOWS          EASY TEMPO VOL. 2 · THE PSYCHO BEAT

SUB INSTRUMENTALS:

SUTRA SINGLE

Surgical Nurse

FOR HOUS
YOUR HOUS
*ANY AREA *ANY CONDITION
*NO FEES *NO COMMISSION
866-
200-529
EXT. 1 $500 FOR REF

FINDING YOU

PERFECT MAT

MINARS

228-920

WOMEN
al or Team

RDAYS

MAY 2 thru 4
10441 S. DOWNEY AVE.
DOWNEY

AW1
in VAST
SOR-did
MOO-veez.
wur shiftid in
dremz, woke on
a sudden Manhattan,

ATTENTION!!!  ATTENTION!!!!
HIGH SCHOOL
STUDENTS
Do You Have a Special Talent (Drama,
Vocal, Instrumentalist, Dance)???

THE SINGI
POETRY SO
SCULPT
ALLEN GINSB
by ALLEN R
THE VITA

OOM
DITIONS

pasing

CLUB
ATRIX
SUNDAY

8331

SATURDAYS
Individual or Team
MEN & WOMEN

who
bared
their
branz
tu
hevin
UHN-der
thuh

BERTONE presents
OOL'S OUT!
June 21  8pm-2am

ROCK WILD Entertainment presents

KIWANIS 22n
CHILI COOK
ARNI

*"feedback"*
oiseau-chanteur

*la circonférence des oiseaux*
samon takahashi

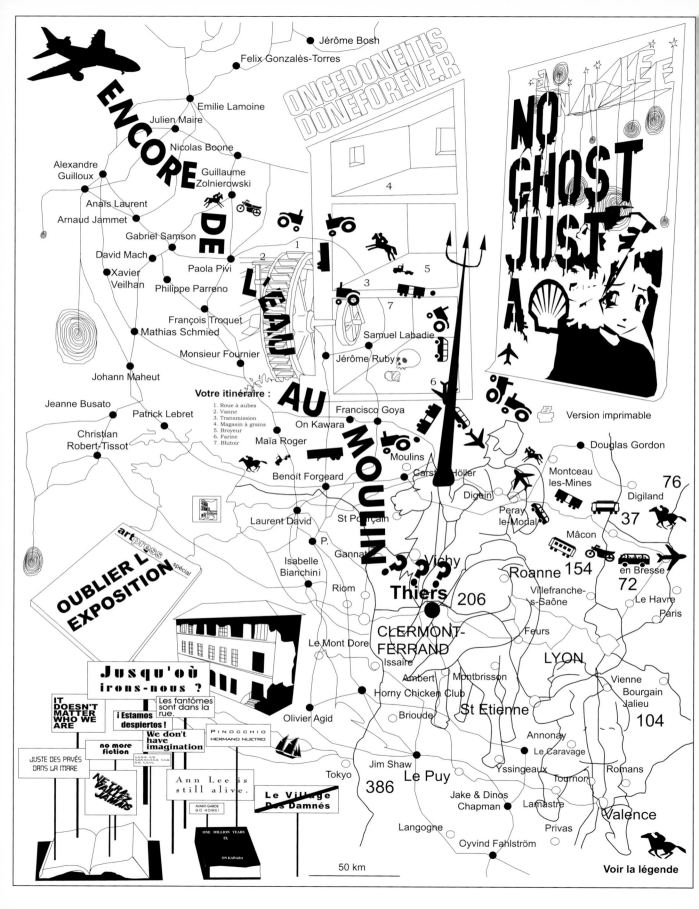

« Une addition d'images, de figures et de signes dont on ne s'amusera jamais à faire la liste » (1)

"A SERIES OF IMAGES, FIGURES AND SIGNS THAT NOBODY WILL EVER BOTHER MAKING A LIST OF" (1)

*ÉRIC MANGION*

« L'INSTINCT DE COLLECTION QUI CARACTÉRISAIT LES SHANDYS LEUR FUT BIEN UTILE. APPRENDRE ÉTAIT POUR EUX UNE MANIÈRE DE COLLECTIONNER, COMME DANS LE CAS DES CITATIONS ET DES EXTRAITS DE LEURS LECTURES QUOTIDIENNES QU'ILS ACCUMULAIENT SUR LES CARNETS DE NOTES QU'ILS TRANSPORTAIENT PARTOUT ET QU'ILS AVAIENT COUTUME DE LIRE AU COURS DE LEURS RÉUNIONS. PENSER ÉTAIT AUSSI UNE MANIÈRE DE COLLECTIONNER, OU DU MOINS L'AVAIT-CE ÉTÉ DANS LES PREMIERS TEMPS DE LEUR EXISTENCE. ILS NOTAIENT CONSCIENCIEUSEMENT LES IDÉES LES PLUS EXTRAVAGANTES, ILS DÉVELOPPAIENT DE VÉRITABLES MINI-ESSAIS DANS DES LETTRES À LEURS AMIS ; ILS RÉÉCRIVAIENT DES PLANS POUR DES PROJETS FUTURS ; ILS TRANSCRIVAIENT LEURS RÊVES ; ILS TENAIENT DES LISTES NUMÉROTÉES DE TOUS LES LIVRES ILLUSTRÉS QU'ILS AVAIENT LUS. MAIS ALORS COMMENT EXPLIQUER LA TRANSFORMATION DES JOYEUX, LOUFOQUES ET VOLUBILES SHANDYS EN HÉROS DE LA VOLONTÉ ? MON HYPOTHÈSE EST QUE LE TRAVAIL PEUT FACILEMENT DEVENIR UNE DROGUE, UNE COMPULSION : "LA PENSÉE, CE NARCOTIQUE ÉMINENT", ÉCRIVIT MÊME UN JOUR WALTER BENJAMIN. »

**ENRIQUE VILA-MATAS** (2)

*PAULINE FONDEVILA,*
*Encore de l'eau au moulin ???, 2003,*
affiche : exemplaire unique (poster: single
affiche : exemplaire unique (poster: single
copy), 74 x 57 cm, impression numérique
réalisée pour l'exposition (digital print
made for the exhibition) *Les enfants*
*du Sabbath IV*, le Creux de l'enfer, Thiers.

La pièce apparaît comme une métaphore
cartographiée du processus de création :
elle représente une géographie intime,
un paysage intellectuel familier
où voisinent les artistes de référence d'hier
et d'aujourd'hui, une région d'origine
ou encore un univers de fiction singulier.
Présentée sous forme de panneau
lumineux à l'entrée d'une exposition,
cette affiche fonctionnait à la fois comme
une proposition de parcours culturel
et comme une carte d'orientation géographique pour les promeneurs, l'arrière-
plan figurant la topographie régionale.

The piece looks like a metaphor mapping
out the creative process. It represents an
intimate geography, a familiar intellectual
landscape on which referential artists
from yesterday and today are found side
by side, a home region, even a singular
fictional world. Displayed earlier
as a light panel at the entrance
to an exhibition, the sign worked as both
a proposal for a cultural walking tour
and a geographic map for pedestrians
since the background featured the actual
topography of the region.

"THE INSTINCT TO COLLECT THAT CHARACTERIZED THE SHANDYS PROVED USEFUL TO THEM. TO LEARN WAS A WAY OF COLLECTING FOR THEM, AS WAS THE CASE OF THE QUOTATIONS AND EXCERPTS FROM THEIR DAILY READING, WHICH THEY ACCUMULATED IN THE NOTEBOOKS THEY CARRIED EVERYWHERE WITH THEM AND WHICH THEY WERE IN THE HABIT OF READING ALOUD DURING THEIR ASSEMBLIES. THINKING WAS A WAY OF COLLECTING, OR AT LEAST IT HAD BEEN IN THE EARLY DAYS OF THEIR EXISTENCE. THEY CONSCIENTIOUSLY NOTED DOWN THE MOST EXTRAVAGANT IDEAS; DEVELOPED VERITABLE MINI-ESSAYS IN LETTERS TO THEIR FRIENDS; REWROTE PLANS FOR FUTURE PROJECTS; TRANSCRIBED THEIR DREAMS; KEPT NUMBERED LISTS OF ALL THE ILLUSTRATED BOOKS THEY HAD READ. BUT THEN, HOW CAN ONE EXPLAIN THE TRANSFORMATION OF THE MERRY, LOONY, TALKATIVE SHANDYS INTO HEROES OF HUMAN WILL? MY HYPOTHESIS IS THAT WORK CAN EASILY BECOME A DRUG, A COMPULSION: 'THOUGHT, THAT EMINENT NARCOTIC,' AS WALTER BENJAMIN EVEN WROTE ONCE."

**ENRIQUE VILA-MATAS** (2)

(1)  Titre emprunté au texte d'Olivier Kaeppelin
     sur Gérard Gasiorowski, publié dans le catalogue
     Gérard Gasiorowski, Les Amalgames,
     Maeght Éditeur, Paris, 1988, p. 13.

     I have borrowed title of the present piece from a text
     by Olivier Kaeppelin on Gérard Gasiorowski that appeared
     in the catalog Gérard Gasiorowski, Les Amalgames,
     Paris: Maeght, 1988, 13.

(2)  Enrique Vila-Matas, Abrégé de littérature portative,
     Christian Bourgois Éditeur, Paris, 1985, pp. 98 et 99.

En principe, l'idée d'une compilation n'est pas un bon signe pour celui qui en est l'auteur.
Soit elle préfigure sa disparition physique à travers des recueils post-mortem,
soit elle symbolise le deuil de son inspiration par l'édition complaisante de vieux standards
que le public finira toujours par apprécier dans le sentiment universel de la nostalgie
et du vieux succès partagés. Sous cet angle, la compilation peut être a priori
perçue comme l'apanage du « je n'ai plus rien à dire ».

  De plus, la compilation est devenue ces dernières années un redoutable argument
commercial. En musique, par exemple, plus de 20% des ventes de disques
sont réalisées en France via la production de compilations directement issues
de groupes radiophoniques pour être automatiquement rediffusées sur les mêmes
radios dans une sorte de boucle esthético-économique parfaitement huilée,
et dans laquelle le consommateur fait office de pigeon malléable. Les hôtels et les
restaurants de luxe, les boutiques chics, les émissions tardives et « people » du
samedi soir, les boîtes de nuit bien sûr, et peut-être bientôt les partis politiques,
les églises ou les grandes surfaces possèdent ou posséderont leur indispensable
compilation, comme ils possédaient dans les années quatre-vingt un superbe logo
ou une superbe enseigne. Une compilation est aussi une carte de visite.

Normally, the idea of a compilation is not a good sign for the author
of one. It either prefigures his or her physical disappearance
through post mortem collections, or symbolizes the death
of his or her inspiration by the accommodating publication
of old standards that the public always ends up appreciating
in the universal feeling of shared nostalgia and past success.
From that point of view, compilations can be seen *a priori*
as the prerogative of "I haven't got anything more to say."
Furthermore, in the last few years compilations have become a powerful commercial argument.
In music, for example, over 20 % of album sales in France are due to the production
of compilations coming directly from radio groups which will be automatically rebroadcast
on the same stations in a kind of esthetico-economic loop that works flawlessly, and in which
the consumer serves as a malleable pigeon. Luxury hotels and high-end restaurants, chic shops,
late-night celebrity gabfests on television, nightclubs of course and perhaps political parties
soon, churches and department stores all have or will have their indispensable compilation,
just as they had in the 1980s a fantastic logo or sign. A compilation is also a business card.

Dans le domaine de l'art, le phénomène fait également feu de tout bois. En « externe »,
il se caractérise par la volonté du marché et des médias de créer des sortes de hit-parades
d'artistes dont la principale caractéristique est justement d'appartenir au marché afin
que celui-ci légitime ses propres choix. Remarquablement réalisées, ces éditions connaissent
généralement un grand succès public et finissent par donner une image sélective et élective
de l'art d'aujourd'hui dans l'esprit d'une photographie simultanée et immédiate d'une scène
artistique jeune et dynamique. Art at the Turn of the Millenium, Art Now, Cream, Vitamine P
ou encore Artistes contemporains Londres, proposent un art débarrassé de ses scories,
basé sur le principe de l'excellence et de l'idée parfaitement logique de la *Play List*,
non pas comme un inventaire ou un index, mais comme une liste idéale.

In the realm of art, the phenomenon likewise turns everything
to account. "Exernally," it is characterized by the market and the mass
media's wish to create sorts of "top tens" of artists, the main feature
of these lists being that they are indeed part of the market, enabling
the market to legitimize its own choices. Remarkably produced,
this output generally enjoys great success with the public and ends up
providing a selective and elective image of art today, in the spirit
of a simultaneous and immediate snapshot of a young, dynamic art
scene. Art at the Turn of the Millennium, Art Now, Cream, Vitamin P
or Artistes contemporains Londres offer an art that has been freed
from its residue, an art based on the principle of excellence
and the perfectly logical idea of the play list, not as an inventory
or an index but as an ideal list.

EN HAUT (ABOVE) :
CLEGG & GUTTMANN, *Falsa Prospettiva, Reflections on Claustrophobia, Paranoia and Conspiracy Theory*, 2001,
technique mixte (mixed media). Vue d'installation (installation view), Lia Rumma Gallery, Milan. Courtesy Lia Rumma Gallery, Milan.

À DROITE (RIGHT) :
CLEGG & GUTTMANN, *Architecture : Reflections on Claustrophobia, Paranoia and Conspiracy Theory I - VI*, 2001,
Ilfochrome et plexiglas (Ilfochrome and plexiglas), 208 x 114 cm. Courtesy galerie Christian Nagel, Cologne-Berlin.

Michael Clegg et Martin Guttmann créent des bibliothèques virtuelles en réorganisant des collections existantes (de New York, Berlin, Milan...) et en en proposant des collages
photographiques. L'œuvre fait partie d'un ensemble de vingt grands collages montés sur des étagères, qui vise à créer l'illusion d'une véritable bibliothèque classée
par thèmes (géométrie, architecture, psychologie, linguistique, théorie politique et religion). « En développant ce projet, l'idée que l'idéologie, au sens marxiste du terme,
peut être comprise comme un cas particulier de nos facultés cognitives, et non pas uniquement nos perceptions sensorielles. [...] Quand nous disons qu'une croyance
toute fausse perspective implique l'ensemble de fausse perspective a attiré notre attention. Si notre analyse du concept est correcte, elle prouve qu'en général
ou un système de croyances est idéologique, nous voulons dire qu'il présuppose la nécessité et la réalité absolue d'un certain ordre social qui, en tant que fait historique,
peut ne pas être permanent et, en tant que vision du monde politique et morale, ne doit pas l'être. En d'autres termes, toute idéologie est toujours ancrée
dans une fausse perspective historique. [...] Une bibliothèque est un espace censé être complètement défini par un système d'organisation. Chaque aspect de sa structure
est censé être lié à l'ensemble du système de classement de façon transparente. [...] » Clegg & Guttmann
De tels espaces offrent un contexte adéquat pour réfléchir au problème de perspective, en particulier, et de géométrie, en général... »

Michael Clegg and Martin Guttmann create virtual libraries by reorganizing existing collections (from New York, Berlin, Milan, etc.) and presenting photographic collages.
This work is part of a group of twenty large collages mounted on shelves. The aim is to give the illusion of a genuine library arranged thematically (geometry,
architecture, psychology, linguistics, political theory and religion). "When we developed the project we were interested in the idea that ideology, in the Marxist sense
of the term, can be analyzed as a particular case of false perspective. If our analysis of the concept is correct it can demonstrate the general point that the registration of false
perspective involves our cognitive apparatus as a whole and not the senses alone. [...] When we say that a belief or a system of beliefs are ideological we mean
that they presuppose the necessity and absolute reality of a certain social order which, as a matter of historical fact, may not always exist and, as a matter of political and moral
world view, it should not. In other words, ideology is always embedded in a false historical perspective, it should not. [...] Libraries are spaces which are supposed to be determined
completely by a system of organization. Every aspect of the environment is supposed to be transparently related to the system of order as a whole. [...]" Clegg & Guttmann
Spaces of this kind provide the right atmosphere for a reflection on the issue of perspective, in particular, and of geometry, in general..." Clegg & Guttmann

En « interne », le phénomène passe par l'utilisation récurrente par les artistes du mode opératoire de la compilation qui se base avant tout sur l'action de *mettre ensemble des documents* et de les *réunir dans un recueil commun*. On voit ainsi fleurir une large somme d'œuvres faisant office de juke-box, de vidéoclubs, de bibliothèques, d'archives, de cabinets de dessins ou de projets, d'éditions aux différents usages et fonctions, comme si l'art d'aujourd'hui se résumait en partie à un vaste champ de consultation sectorisé dans une suite infinie de microstructures organisationnelles, dont le fameux format de compression *MP3* pourrait être le modèle générique.

"Internally," the phenomenon is seen in artists' recurrent use of the operational mode of compiling things, which is based above all on the act of *bringing documents together* or *merging them in a common collection*. What we have seen flourish then is a large number of artworks serving as jukeboxes, video clubs, libraries, archives, editions and collections of drawings or proposals with different uses and functions, as if the art of today were reduced in part to a vast field of consultation that is sectioned off into an infinite series of organizational microstructures, whose generic model might be the famous *MP3* compression format.

# La méthode énoncée
## THE DECLARED METHOD

Pourtant, au-delà de son caractère systématique et convenu, l'idée de compilation (et ses succédanés) représente un signal culturel non dénué d'intérêt. On peut en effet voir en lui le principal caractère du postmodernisme dans sa tentative d'épuiser les valeurs fondamentales du XXᵉ siècle, « une façon de dire encore des choses quand tout a déjà été dit », une méthode qui fait office de pensée critique sur la pensée. De même, on peut y voir une sorte « d'hyper-modernité », c'est-à-dire une tentative d'exprimer le plus haut degré de la modernité, soit afin de la radicaliser, soit afin de la surexposer dans un souci de non-distinction de ses codes, à l'instar d'une hypermétropie.

Yet beyond its systematic, conventional character, the idea of a compilation (and its lesser imitations) represents a cultural signal that certainly holds some interest for us. Indeed, we might see in it the main trait of postmodernism in its attempt to exhaust the fundamental values of the 20th century, "a way of saying things still when everything has been said," a method that serves as a form of critical thinking about thinking. Similarly, we might see in it a kind of "hypermodernity," i.e., an attempt to express the highest degree of modernity, either to radicalize it or overexpose it in a concern for a non-distinction of its codes, like a form of hypermetropia.

*CAROL BOVE, Adventures in Poetry, 2002, technique mixte (mixed media), 86,39 x 218,4 x 25,4 cm. Courtesy Team Gallery, New York.*

Carol Bove agit comme l'archéologue d'un passé proche en assemblant sur des étagères et des meubles d'époque des éditions originales de livres ou de revues américains des années 60 et 70. L'œuvre est une réaction au formalisme finissant de la fin des années 60 autant qu'à l'art conceptuel ou à la sculpture minimaliste. Carol Bove emprunte ici le titre d'un ouvrage de John Giorno publié en 1971, Cum: Adventures in Poetry et réunit dans une même installation près de quarante volumes publiés entre 1962 et 1977.

Working like an archeologist studying a recent past, Carol Bove lays out original editions of American books and reviews from the 1960s and '70s on shelves and period furniture. The sculpture is a reaction as much to the final formalism of the late 1960s as to Conceptual Art and Minimalist sculpture. Borrowing here the title of a 1971 work by John Giorno called Cum: Adventures in Poetry, Carol Bove brings together in the same installation nearly forty volumes published between 1962 and 1977.

Car le fondement esthétique de la compilation est celui du mode d'archivage, et de l'invention de méthodes qui vont avec. Dans sa <u>Tentative d'épuisement d'un lieu parisien</u>, Georges Perec décrit « ce que l'on ne note généralement pas, ce qui n'a pas d'importance : ce qui se passe quand il ne se passe rien, sinon du temps, des gens, des voitures et des nuages. » De même, dans le bien nommé <u>Penser/Classer</u>, figure un texte d'anthologie (étudié aujourd'hui dans toutes les écoles de formation des bibliothécaires) intitulé « Notes brèves sur l'art et la manière de ranger ses livres », avec toujours chez l'auteur un mélange de sérieux et d'absurde, de langage structuraliste, de mélancolie et d'émerveillement devant les minuscules plaisirs du quotidien. « Il y a dans l'idée que rien au monde n'est assez unique pour ne pas pouvoir entrer dans une liste, quelque chose d'exaltant et de terrifiant à la fois », ajoute Perec.

The esthetic basis of the compilation is that of *archivage*, data filing and storage, and the invention of methods that go along with it. In his <u>Attempt to Exhaust a Parisian Locale</u>, Georges Perec describes "what is not noted generally, what is not important: what goes on when nothing is going on, if not the passing of time, people, cars and clouds." Similarly, Perec's aptly named <u>Think/Classify</u> contains a classic text (nowadays part of the curriculum in all training colleges for librarians) called "Brief Notes on the Art and Manner of Arranging Books," which boasts, as always in the author's work, a mix of the serious and the absurd, structuralist language, melancholy and wonder at the tiny pleasures of daily life. Perec adds, "there is something both exciting and terrifying in the idea that nothing in the world is so unique that it cannot fit into a list."

BERTRAND LAVIER, *Bertrand Lavier présente la peinture des Martin de 1900 à 2000*. Vue de l'exposition (view of the exhibition) *Voilà*, 2000, Musée d'Art moderne de la Ville de Paris.

Inauguré en 1984 avec quarante tableaux de tous styles d'artistes, connus ou inconnus, tous nommés Martin, et poursuivi en 2000 par l'addition de vidéos, le « chantier » des <u>Martin</u> de Bertrand Lavier s'apparente à une œuvre-exposition dont le thème n'est autre que le nom des exposants. Eu égard à la valeur du nom propre et de la signature dans le domaine de l'art, on comprend alors la portée critique et ironique de cette installation qui interroge la problématique de l'œuvre unique.

Bertrand Lavier began his <u>Martin</u> project in 1984 with fourty pictures of all types of styles by artists known and unknown, and all called Martin. Continued in 2000 with the addition of video, this "work in progress" is akin to an exhibition-artwork whose theme is in fact the exhibitors' name. Given the value proper names and signatures have in the field of art, one can understand the critical and ironic intention of this installation, which delves into the question of the unique work of art.

the art ensemble of chicago

ARLATRS 7-80036-1-G

Robert Ashley    Private Parts    Lovely Music, ML 1001

ABBA (BJORN, BENNY, ANNA & FRIDA)

ABBA        SOUTHBOUND   ATX 50-150

ABBA        SUPER TROUPER

HIGH VOLTAGE

ABBA® The Singles

WATERLOO

RAP-TIZUM

LIVE AID

APHRODITE'S CHILD

666

Art Ensemble of Chicago · The Third Decade

ESTIGE STEREO OJC-6005 · GENE AMMONS

CHET ATKINS PICKS THE BEST

GREATEST HITS, VOL. 2 · THE SIXTIES

HERB ALBERT & THE TIJUANA BRASS · GREATEST HITS · A&M SP 4215

A&M RECORDS    WHIPPED CREAM & OTHER DELIGHTS

HERB ALPERT'S TIJUANA BRASS

MISTER GUITAR ~ CHET ATKINS

WHIPPED CREAM & OTHER DELIGHTS

HERB ALPERT'S TIJUANA BRASS

AEROSMITH    TOYS IN THE ATTIC

LAND RECORDS, INC.    7  90179-1

(WHO'S AFRAID OF?) THE ART OF NOISE!

TOY PREACHER · THE CANNONBALL ADDERLEY

INGEN-SIBLE GUITAR ~ CHET

CADET LP-809    DOROTHY ASHBY · AFRO-HARPING

ADD SOUL · ADE AND THE AFRICAN BEATS    SYNCHRO SYSTEM

Louis Armstrong and Earl Hines—1928

ATCO SD 36-142    0698

ATLANTIC SD 18101    0690

BLACK SAINT O.X. 40 06

1375 A&M RECORDS, INC. PRINTED IN U.S.A.

ATLANTIC SD 16023

MERCURY SRM-2-751

JSP 2103

MLPS 9737

MLPS P737

ESQUIRE

Smithsonian Collection R 002

'2 record set

4M1

Il en va d'un travail sur le temps et les images du temps, entretenu à titre d'exemple par les artistes conceptuels des années soixante-dix, Allen Ruppersberg et Hanne Darboven en tête, qui ont chacun à leur manière décliné de multiples variations de modes de stockage et d'archivage, souvent à la manière des copistes du Moyen Age dont l'existence toute entière était vouée à la transcription des Écritures, ou mieux peut-être, comme ces commis dévoués, éternellement penchés sur leurs livres de compte. Ainsi, le calcul, « cet instrument habituellement au service de la rationalité économique devient, dans la main des artistes, le moyen de production quelque peu délirant dont la *logique* trouverait son exutoire dans le flux, apparemment irrépressible, des lignes d'écriture. (3) »

Avec le recul, on peut même suggérer que cette inclinaison aux modes de classement est aujourd'hui l'héritage le plus emblématique de l'art conceptuel, ou du moins son principal dépassement, avec notamment l'émergence dans les années quatre-vingt d'un ensemble d'artistes post-conceptuels ayant systématisé l'archive ou le classement au rang de valeur critique de l'art.

What is involved here is work using time and images of time, maintained by way of example by the conceptual artists of the 1970s, first and foremost Allen Ruppersberg and Hanne Darboven. Each of these two artists worked out individualy a range of variations on methods of storing and filing things, often in ways reminiscent of medieval scribes, whose entire existence was devoted to transcribing Scripture, or better still, those dedicated clerks who are forever bent over their account books. Thus, computation, "that instrument usually in the service of economic rationality, becomes in the hands of artists a somewhat delirious means of production whose *logic* would seem to find its outlet in the apparently irrepressible flood of lines of writing." (3)

With hindsight, one might even argue that this inclination for ways of classifying is the most emblematic heritage of Conceptual Art today, or at least its main extension, notably with the emergence in the 1980s of a group of postconceptual artists who systematized filing or classification to the level of a critical value of art.

(3) Claude Gintz, in Galerie Magazine, n° 88, Hanne Darboven, p. 103.

DAVE MULLER, A-2, 2003, acrylique sur papier (acrylic on paper), détail, 110 x 89 cm. Courtesy The Approach, Londres.

« Je possède environ 3500 vinyles. Cette collection est une encyclopédie organique et changeante de mes désirs tels qu'ils se reflètent dans la musique. J'ai dessiné mes disques dans l'ordre dans lequel ils apparaissaient à un moment donné dans la collection, sans omettre certaines sélections embarrassantes. Les dessins adoptent ainsi une composition de ready-made, pour les textes comme pour les couleurs. » Dave Muller

"I own about 3500 LPs. This collection is a changing organic compendium of my desire as it reflects on musical culture. I have depicted my records in the order that they appear at one moment in the collection's existence, not omitting embarrassing selections. The ensuing drawings have a ready-made composition with regard to both text and colors." Dave Muller

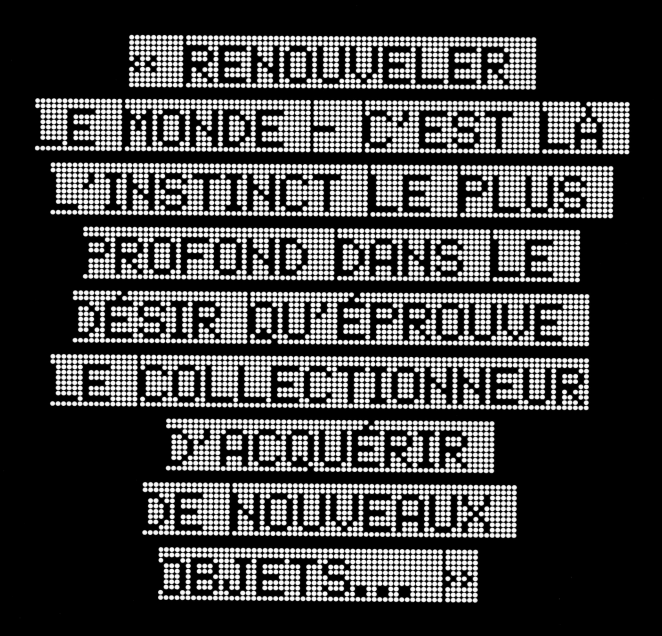

« RENOUVELER LE MONDE — C'EST L'INSTINCT LE PLUS PROFOND DANS LE DÉSIR QU'ÉPROUVE LE COLLECTIONNEUR D'ACQUÉRIR DE NOUVEAUX OBJETS... »

"To renew the world—that is the deepest instinct in the desire felt by the collector to acquire new objects..."

Unpacking my Library: A Talk about Book Collecting.
Je déballe ma bibliothèque, un discours sur l'art de collectionner.

Les readymades appartiennent à tout le monde de Philippe Thomas, la Collection
Devautour ou encore General Idea pour ne citer que les principaux, ont contribué
à une analyse structurelle et sociologique de l'esthétique contemporaine, et ce dans
l'esprit de la philosophie analytique de l'art selon Nelson Goodman.
De même, on peut suggérer qu'aujourd'hui cette inclinaison, même si elle
perdure, a perdu son sens critique ou analytique, mis à part quelques
pièces singulières comme Cosmos, 2002 de Boris Achour (4) ou le Studio
Wall Drawing de Keith Tyson (5) qui s'appliquent tous deux à rendre
compte (entre autres) d'un phénomène de saturation de l'image.
Par ailleurs, si l'on tend à considérer l'intérêt de la Play List avant tout comme
un mode de stockage et d'archivage produisant des itinéraires et des hiérarchies
entre les signes, il faut voir dans le principe du collage un des actes fondateurs
de ce phénomène bien avant le tournant conceptuel.

Philippe Thomas's Les ready-made appartiennent à tout le monde (Ready-mades
Belong to One and All), the Devautour Collection and General Idea, to mention only
the main manifestations, have contributed to a sociological and structural analysis
of the contemporary esthetic in the spirit of Nelson Goodman's analytical philosophy
of art. Similarly, one might argue that today, even if it lasts, that inclination has lost
its critical or analytical sense, save for a few singular pieces like Boris Achour's
Cosmos, 2002, (4) or Keith Tyson's Studio Wall Drawing, (5) both of which try
to size up, among other things, a phenomenon like the saturation of the image.
Furthermore, if we think that the interest of the Playlist lies
above all in a mode of storing and filing that produces pathways
and hierarchies among signs, then the principle of the collage
must be seen as one of the founding acts of the phenomenon
well before the conceptual turning point.

(4)  Collection Frac Provence-Alpes-Côte d'Azur

(5)  Cosmos est constitué comme une vidéothèque
de près de 400 jaquettes de films comportant
chacun son propre scénario, synopsis, casting,
mode de production, visuel, mais tous s'appelant
Cosmos, en référence au livre éponyme
de Gombrowicz. Le Studio... est composé
d'un nombre infini et évolutif de dessins du même
format (153 x 122 cm) réalisés à la manière
d'un journal encyclopédique interprétant de façon
quasi-ésotérique des évènements historiques,
scientifiques, culturels ou anodins.

Cosmos is put together like a video library with
nearly 400 film jackets, each having its own
screenplay, synopsis, casting, production mode,
visual, but all called Cosmos, a reference
to Gombrowicz's book of thesame name.
The Studio... comprises an infinite and changing
number of drawings in the same format
(153 x 122 cm), executed like an encyclopedic
journal interpreting in an almost esoteric way
historical, scientific, cultural and even
insignificant events.

Après le cubisme analytique en 1910, c'est l'émergence du cubisme synthétique en 1913 qui pose pour la première fois la question précise des procédés et de la mise en œuvre de la structure d'archivage. « Ce n'est pas cette fois la technique (picturale) qui va être remise en cause, mais la façon de concevoir les rapports du sujet et de l'objet, en un mot la méthode [...]. Dès lors, Picasso va s'élever intuitivement jusqu'à l'essence pour déterminer les caractères nécessaires d'un objet, ceux qui conditionnent son existence même et sans lesquels il ne serait point ce qu'il est, puis réunir ces attributs en une image unique qui soit en quelque sorte l'essence plastique. L'image ainsi obtenue contiendra donc en puissance toutes les individualisations possibles de cet objet. (6) » Plus radical encore, Kurt Schwitters va même inventer à partir de 1919 un terme pour sa méthode de collage. « J'appelai *Merz* ce procédé nouveau dont le principe est l'usage de tout matériau. »

(6) In <u>Dictionnaire de la peinture</u>, sous la direction de (edited by) Michel Laclotte et Jean-Pierre Cuzin, Larousse, Paris, p. 198.

After Analytical Cubism in 1910, it was the emergence of Synthetic Cubism in 1913 that first raised the precise question of the procedures and implementation of the structure of *archivage*. "This time it is not the (pictorial) technique that is going to be questioned, but the way of conceiving the connections between the subject and the object, in a word, the method... From here, Picasso would work his way up intuitively to the essence to determine the necessary characters of an object, those that condition its very existence and without which it wouldn't be what it is at all, then bring those attributes together in a unique image that is to a certain extent the essence of form. The image obtained in this way potentially contains all of this object's possible individualizations." (6) Still more radically, Kurt Schwitters would even invent a term for his collage method in 1919. "I call this new process *Merz*, whose principle is the use of all materials."

SAÂDANE AFIF, _Pirates Who's Who_, 2000-2001, édition de 6 exemplaires, étagère _Lovely Rita_ de Ron Arad, collection de livres sur la piraterie, peinture pailletée, dimensions variables (edition of 6, the Ron Arad bookshelf _Lovely Rita_, a collection of books on piracy, glitter paint, variable dimensions). Vue de l'exposition (view of the exhibition) _Parallèle, parallaxe, paradoxe_, Maison Populaire, Montreuil-sous-Bois, 2001. Collection Dominique et Christophe Guillot, Paris. Courtesy galerie Michel Rein, Paris.

Donnant à voir, sur une étagère dessinée par Ron Arad, la collection personnelle de l'artiste constituée de livres sur la piraterie, _Pirates Who's Who_ est accompagnée d'un contrat d'échange proposant au collectionneur de créer sa propre collection de livres sur la piraterie et la flibusterie lorsqu'il devient acquéreur de l'oeuvre. De la même manière, la liste des livres est augmentée au gré des budgets de production des expositions présentant l'installation. Dès lors, selon une poétique de la liste aléatoire, la forme de l'œuvre prend une extension infinie interrogeant le devenir de ces communautés libertaires comme l'élaboration progressive d'une mythologie de la piraterie. Et le processus trouve finalement sa limite dans la résistance du support.

Displaying the artist's personal collection of books about piracy on a set of shelves designed by Ron Arad, _Pirates Who's Who_ comes with an exchange contract that proposes to create for the collector his own collection of books on piracy and buccaneering when he acquires the piece. In a similar vein, the list of books grows in keeping with the production budget of the exhibitions presenting the installation. Thus, according to a poetics of the random list, the form of the work assumes an infinite extension that questions the future of these libertarian communities as a progressive elaboration of pirate mythology. The process eventually meets its limits in the resistance of the support.

RÉMY MARKOWITSCH, (pour la peinture au sol, en collaboration avec/for the floorpainting, in collaboration with Michael Lin), *Bibliotherapy meets Bouvard et Pécuchet,* *Robinson Crusoe and Der grüne Heinrich,* 2003, installation, technique mixte (mixed media), Galerien der Stadt Esslingen. Vue de l'installation au Musée de Lucerne (view of the installation: Museum of Art Lucerne). Courtesy Museum of Art Lucerne et Villa Merkel, Galerien der Stadt Esslingen. Photo : Andrea Capella, Lucerne. Sol de Michael Lin (floorpainting Michael Lin) : courtesy Museum of Art Lucerne et Galerie Urs Meile, Lucerne.

« *Bibliotherapy* — un projet d'exposition et de publication — parle du livre, de la lecture et des lectures. Il oscille entre l'art et la science, la littérature et la thérapie, l'original et la copie, la lumière et la nourriture, entre bonsaï et potato, Bouvard et Pécuchet, Markowitsch et Lin. Il présente entre autres l'inventaire de la bibliothèque de Gustave Flaubert et pose la question de savoir si la lecture est une chose saine. » In *Bibliotherapy*, Edizioni Periferia, Poschiavo, Lucerne, 2002. L'œuvre de Rémy Markowitsch, *Bibliotherapy*, poursuivie avec *Robinson Crusoe* et *Der grüne Heinrich*, est une installation qui allie à sculpture, la vidéo, avec Michael Lin et *Bouvard et Pécuchet*, se régénère en se modifiant à chaque nouvelle installation. En demandant à différentes personnes de lire les romans de Flaubert, Defoe ou Keller et en filmant leur lecture, Rémy Markowitsch propose un portrait autant du groupe que des individus qui le constituent. La lecture ininterrompue d'un roman du savoir raté, du naufrage ou de la survie et la mise en scène de leurs sources questionnent le rôle de l'écrit et des « greffes de savoir » dans nos sociétés contemporaines.

"*Bibliotherapy* is an exhibition and publication project on the subject of books, reading and what people read. It oscillates between art and science, literature and therapy, original and copy, light and nourishment, bonsai and potato, between *Bouvard and Pécuchet* and Markowitsch and Lin. The project also presents the inventory of the Gustave Flaubert library and poses the question of whether reading is a healthy pastime." In *Bibliotherapy*, Poschiavo/ Luzern: Edizioni Periferia, 2002. Rémy Markowitsch's work is bibliophilic. It is wholly influenced by the exploration of both books and our archives of knowledge. Launched in 2001 (in collaboration with Michael Lin), the project started with *Bouvard et Pécuchet*, then continued with *Robinson Crusoe* and *Der grüne Heinrich*, *Bibliotherapy* is an installation that adds video, photography and painting to sculpture; it continuously regenerates itself by modifying its contents through each new installation. Asking different people to read novels by Flaubert, Defoe and Keller and videotaping their reading, Markowitsch offers a collective and individual portrait. The continuous reading of a novel about failed knowledge, ruin or survival, and the display of their sources question the role writing as a medium and "grafts of knowledge" play in today's society.

Les Eaux printanières

IVAN TOURGUÉNEF[F]
*Fumée*

IVAN TOURGUÉNEF[F]
*Nouvelles moscovites*

IVAN TOURGUÉNEF[F]
*Nouvelles scènes de la vie russe*
*Eléna*

# « CONSIDÉRER LA CULTURE NON PAS COMME UNE SOMME DE SAVOIRS, UN PATRIMOINE, MAIS COMME L'EXEMPLE DU POSSIBLE. »

*"Consider culture not as the sum total of knowledge, a heritage, but rather as an example of what is possible."*

Ce mot va devenir une enseigne, un signe générique susceptible de désigner toute activité expérimentale, toute production de l'artiste lui-même, et finalement son propre nom. L'intérêt historique de cette démarche est que Schwitters devient un des premiers véritables navigateurs culturels de l'art. Car il est tout à la fois un poète, un typographe, un scénographe, un peintre, un sculpteur, un architecte, et bien sûr un praticien de l'art total. « Ce que signifie *Merz*, ce mot dénué de sens, c'est peut-être d'abord cela : le dépassement des genres, le refus des frontières, l'activité expérimentale transgénérique. » **(7)** Quarante ans après Picasso, c'est au tour de Robert Rauschenberg d'inventer une nouvelle méthode, le « Combine Painting » qui a pour but le collage d'objets trouvés sur un fond pictural, là aussi dans un esprit de synthèse, entre l'Action Painting et Dada, se permettant ainsi de jouer le croisement des cultures et de leurs référents sémiologiques dans un jeu de transit *high and low* entre les codes artistiques de son temps. « Je veux éviter les catégories. Je désire intégrer à ma toile n'importe quels objets de vie. L'erreur, c'est d'isoler la peinture, c'est de la classifier. J'ai employé des matériaux autres que la peinture afin qu'on puisse voir les choses d'une manière neuve et fraîche », écrit-il en 1955.

(7) Jean-Marie Gleize, in *Le siècle des rebelles, Dictionnaire de la contestation au XXe siècle*, p. 554.

The word was to become a flag, a generic sign capable of designating every experimental activity, every thing produced by the artist himself and finally his very own name. The historic interest of this approach is that Schwitters becomes one of the first real cultural navigators of art, for he was a poet, typographer, set designer, painter, sculptor, architect and of course a practitioner of total art. "What that meaningless word *Merz* means is perhaps this first of all: the surpassing of genres, the rejection of borders and transgeneric experimental activity." **(7)** Forty years after Picasso, it was Robert Rauschenberg's turn to invent a new method, the combine. The aim of this approach was to affix found objects to a pictorial background, here again in a spirit of synthesis, in this case between action painting and Dada. Rauschenberg allowed himself to work the crossbreeding of cultures and their semiological referents in a play of high and low transition between the artistic codes of his day. "I want to avoid categories," wrote the artist in 1955, "I would like to integrate in my canvas any old object from life. The error lies in isolating painting, classifying it. I've used materials other than paint so that people can see things in a fresh and new way."

JONATHAN MONK, *Mantel Piece Piece*, 1997, cartes postales et étagères en bois,
dimensions variables (postcards and wooden shelves, variable dimensions).
Courtesy Jonathan Monk et galerie Yvon Lambert, Paris.

Cette série de cartes postales a été envoyée par Jonathan Monk à la Lisson Gallery
de Londres. Leur choix a sans doute été influencé par « l'idée d'envoyer
des cartes postales à une galerie », selon les mots de l'auteur.
Elles ont ensuite été disposées sur une étagère, à hauteur de cheminée.

This series of postcards was sent by Jonathan Monk to the Lisson Gallery
in London. Their selection was probably influenced by "the idea of sending
postcards to a gallery," as the artist puts it. The cards were then placed
on a shelf fixed at the height of a normal chimney mantel.

"I work like a reconstructive archeologist."

« Je travaille comme une archéologue re-constructiviste. »

# 2. La non-méthode apparente
## THE APPARENT NON-METHOD

Il serait néanmoins totalement erroné de réduire l'archivage
et ses connexions à de simples méthodes préétablies, même si
celles-ci en disent long sur les intentions qui y président. Ce serait
faire de la notion d'inventaire ou d'index une simple question
d'ingénierie, tel qu'on a trop souvent l'habitude de le penser.
Inventer des itinéraires entre les signes peut s'avérer un principe
de travail plus qu'une méthode proprement dite. Il ne s'agit pas
de systèmes organisés, mais de véritables jeux de pistes, à la limite
de l'interprétation, agissant dans une lecture quasi-cognitive
des objets. Des artistes comme Mike Kelley, Martin Kippenberger
ou le trop peu connu Gérard Gasiorowski n'ont par exemple jamais
créé de système réel, mais tous l'ont fantasmé à leur manière. L'esprit de compilation
qui est le leur s'apparente à de la compulsion, un besoin organique tout autant
qu'esthétique. Ils n'ont ni méthode fixe, ni feuille de route, mais un principe
d'investigation que l'on pourrait presque assimiler à celui d'un moteur de recherche.

It would be completely wrong, however, to reduce *archivage* and its connections to simple
pre-established methods, even if they speak volumes about the intentions presiding over
them. That would be tantamount to making the notion of inventory or index a simple
question of engineering, as people too often imagine it. Inventing pathways between signs
can prove a working principle more than a method of working, strictly speaking.
I don't mean organized systems, but real scavenger hunts at the limit of interpretation,
acting in a quasi-cognitive reading of objects. Artists like Mike Kelley, Martin Kippenberger
or Gérard Gasiorowski (still far too little known) never created a real system, yet each
of them fantasized or has fantasized about it in his own way. Their drive to compile
has something in common with compulsion, a need that is as much organic
as it is esthetic. They had neither fixed method nor travel warrant, but a principle
of investigation that could almost be likened to a research engine's.

Avec ces artistes, l'idée de collage prend une tout autre dimension,
devenant un exercice « éclaté » dans le temps et l'espace, hors du cadre
du tableau et de toute doctrine formelle. Du collage, il ne reste que l'idée
d'un assemblage hétéroclite d'éléments disparates, mais cette fois
sans sédimentation. De même, ils font fi de la notion de hiérarchie parfois
si chère à l'art conceptuel et aux esthètes de la pensée analytique
avides de clarification du langage. Ici, le langage n'est pas clair,
il est multiple, volontairement complexe et fabriqué sur le lit de multiples
corpus enchevêtrés les uns aux autres.
Mike Kelley (né en 1954) en premier lieu, ne cesse, depuis bientôt trente ans,
de combattre la notion moderniste et *greenbergienne* de l'essence pure
des matériaux, et de dénoncer ainsi la froideur décorative qui en découle.
Évitant le mieux possible les genres, il construit une œuvre qui, au bout du compte,
agit en un vaste cabinet de curiosités en évolution constante et infinie.

With these artists, the idea of a collage assumes an altogether different
dimension, becoming a "splintered" exercise in time and space, outside
the frame of the painting and any formal doctrine. What remains
of the idea is a varied assemblage of disparate elements, but this time
without sedimentation. This same artists likewise scorn the notion
of hierarchy that is at times so dear to conceptual art and esthetes
of analytical thought who long for a clarification of the language.
Indeed, the language here is not clear; it is manifold, voluntarily complex
and fashioned on a foundation of variegated bodies of data that are all
jumbled together. First, there is Mike Kelley (born in 1954), who, for nearly 30 years
now has continuously combated the modernist, Greenbergian notion of the pure essence of art
materials and denounced the resulting decorative bloodlessness. Doing his level best to avoid
genres, Kelly has built up an oeuvre that when all is said and done acts like a vast cabinet
of curiosities, one that is constantly evolving in an infinite variety of ways.

« L'architecture gothique, le dessin animé, un bar de strip-tease,
un film de Joseph Cornell et un film d'horreur de série B,
ne sont pas par exemple des illustrations pseudo-trash pour faire
*genre*, mais des éléments du monde réel qui l'entourent
et qu'il décode. **(8)** » L'idée de répétition, d'accumulation ou
de série (presque exagérative) est une chose importante chez lui.
C'est là son mode d'inventaire, sa *Play List*.

Issu d'une même culture post-punk que Mike Kelley, Martin Kippenberger (1953-1997)
possède également une œuvre difficilement identifiable et réductible à un principe
ou à un code. Les facteurs qui suscitaient son intérêt pouvaient être issus des domaines
les plus divers. La subculture et la culture triviale étaient pour lui tout aussi valides
que les grands modèles de l'histoire de l'art, et de fait, il « s'amusa » bien souvent
à croiser les référents. L'exemple le plus significatif pourrait être celui du Super petit-
déjeuner de Spiderman, plus connu sous le nom d'Atelier Spiderman **(9)**.

"Gothic architecture, animated cartoons, a strip club, a film by Joseph Cornell
and a B-horror movie, for example, are not pseudo-trash illustrations meant to pass
for a *genre*, but elements from the real world surrounding the artist which
he decodes." **(8)** The idea of repetition, accumulation or series (almost exaggerative)
is an important element in his work. This is his inventory mode, his *Play List*.

Originating in the same postpunk culture as Mike Kelley, Martin
Kippenberger (1953-1997) has left behind a body of work that is also
difficult to identify and reduce to one principle or code. The factors
that sparked his interest sprang from an extraordinary variety
of domains. Sub- and trivial culture were just as valid for him
as the great models that art history has to offer, and in fact he quite
often "enjoyed" crossing one referent with another. The most
significant example is his Super petit-déjeuner de Spiderman
(Spiderman's Super Breakfast), better known as Atelier Spiderman. **(9)**

(8)  Marie de Brugerolles, « Mike Kelley,
     Foul Perfection. Essays and Criticism »
     in Art Press n° 295, novembre 2003,
     p. 66.

(9)  Réalisé en 1996 à Nice à l'Atelier
     Matisse sous-loué à Spiderman,
     Galerie Soardi, Nice.

     Created in 1996 in Nice at L'Atelier
     Matisse sous-loué à Spiderman,
     Galerie Soardi, Nice.

JACQUES ANDRÉ, _Tentative d'épuisement de stocks et achats à répétition_, 2002,
installation, technique mixte (mixed media). Vue de l'exposition (view of the exhibition)
_Canards et guitares_, galerie Catherine Bastide, Bruxelles, 2002.

9 disques de Jacques Lizène
5 derniers disques d'Henri Chopin
13 _Do It_ de Jerry Rubin
2 _Internationale Situationniste_ n° 8
2 _Pour un nouveau roman_ d'Alain Robbe-Grillet
3 _Junky_ de William Burroughs
7 Fan Club Orchestra
6 _Révolution Sexuelle_ de Wilhelm Reich

9 Jacques Lizène albums
5 of the last albums of Henri Chopin
13 of Jerry Rubin's _Do It_
2 of the _Internationale Situationniste_ 8
2 of Alain Robbe-Grillet's _For a New Novel_
3 of William Burroughs' _Junky_
7 Fan Club Orchestras
6 of Wilhelm Reich's _Sexual Revolution_

« L'histoire est simple. Kippenberger avait lu que l'araignée tisse sa toile autrement quand elle est droguée. C'est pour cette raison que dans l'atelier Spiderman (en fait celui de Matisse à Nice), l'atelier classique français de l'art moderne, on peut voir des toiles où sont inscrits les noms des drogues. À l'arrière-plan, l'atelier conserve quelques autres références à des stratégies d'artistes du xxᵉ siècle, représentants du savoir d'une histoire qui appartient à la toile et à laquelle on ne peut renoncer. Il connaissait très exactement cette histoire. Selon lui, ce savoir était indispensable pour trouver les possibilités d'une continuation. (10) »

(10) (11) Roberto Ohrt, in Catalogue Kippenberger, Taschen, 2003, p 37.

Il applique ainsi au principe d'inventaire un mode alternatif de *dispersion - concentration - dispersion* pour reprendre les termes de Roberto Ohrt **(11)**, et qui au fond sera « l'objet » récurrent (et aléatoire par définition) de son travail jusqu'à sa mort prématurée.

"The story is simple. Kippenberger had read that spiders weave their webs differently when drugged. And so in the Spiderman studio (Matisse's studio in Nice actually), the classic French *atelier* of modern art, visitors could see canvases* inscribed with the names of drugs. In the background, the studio maintained several other references to the stratagems of 20th-century artists, those representatives of the knowledge of a history that belongs to canvas and cannot be given up. Kippenberger knew this history inside and out. As he saw it, that knowledge was indispensable to finding possible ways of carrying it on." **(10)** To the inventory principle then, he applied an alternative mode of *dispersion-concentration-dispersion*, to borrow Roberto Ohrt's terms. **(11)** This mode was to be at heart the recurrent (and random, by definition) "subject" of his work until his untimely death.

*In French, *toile*, the word that appears here, refers to both the web of a spider and canvas, as in a painter's canvas. The ambiguity is intentional in this instance-trans.

Enfin, dans ce registre de la non-méthode apparente, Gérard
Gasiorowski (1930-1986) fut peut-être le plus compulsif de tous.
« Gasiorowski ne cite pas, pratique morte, il refait, ré-interprète
les formes qu'il considère comme des faits de la nature,
comme un corps. Ainsi, nous avons devant les yeux, les règnes,
les ordres, une addition d'images, de figures et de signes
dont on s'amusera un jour à faire la liste, sans y parvenir tout
à fait, ayant pris soin d'y ménager l'innommable et l'indifférencié.
Il éprouve la pluralité, l'ambiguïté, la précarité du sens.
À coup sûr, il renvoie aux pouvoirs de l'inconscient, à l'énergie
de la pulsion, à ce devoir *compulsif* qui, par son *attention*
à tout, arrache au monde le foisonnement de sa complexité,
la connaissance de sa nature mobile. (12) »

Finally, in this realm of the apparent non-method, Gérard Gasiorowski
(1930-1986) was perhaps the most compulsive of all. "Gasiorowski
doesn't quote, which is a dead practice, he remakes and reinterprets
the forms he sees as natural phenomena, like a body.
Thus, we have before our eyes kingdoms and orders,
an accumulation of images, figures and signs
that someone someday will take the time to list, without
quite succeeding really, since he made sure he also
worked in the unnamable and the undifferentiated.
He tests the plurality, ambiguity and precariousness of meaning.
He clearly refers to the power of the unconscious, the energy of impulse,
that *compulsive* duty that wrenches from the world, through the *attention*
such an obligation pays to everything, the teeming abundance
of the world's complexity and knowledge of its shifting nature." (12)

(12) Olivier Kaeppelin,
in Les Amalgames,
ibid., pp. 13-15.

# "I WOULD RATHER THINK OF MY PRACTICE AS HOLDING UP A MIRROR TO A LOOSELY DEFINED COMMUNITY."

« Je préférerais considérer ma pratique comme un miroir tendu vers une communauté vaguement définie. »

Comme Kelley et Kippenberger, l'artiste est passé maître dans la pratique erratique de la série et dans le processus d'épuisement qui en est le corollaire. « En 1970, s'amorce la série Barbizon, première mise en abyme ironique de l'histoire de l'art et de ses classiques modernes. Puis, ce sont Les Croûtes, parodies sales et vulgaires de mauvaises peintures de genre. En 1971 et 1972, ce sont les Albertines Disparues, nouveaux prétextes à la raillerie et à la corruption de l'image, prenant cette fois-ci pour cible l'objectivité du portrait photographique. Les Impuissances, au nombre de treize, sont des petites reproductions fidèles et bêtes d'illustrations du dictionnaire. En 1973, Les Aires, se présentent comme une collection de pieds de nez adressés aux surfaces ascétiques du monochrome. La même année commence Les Fleurs, peinture mécanique, sérielle de motifs floraux et de leurs pots respectifs.

Like Kelley and Kippenberger, Gasiorowski was a past master in the erratic use of the series and the process of exhaustion, its corollary. "In 1970 began… his Barbizon Period, the first ironic *mise en abîme* of art history and its modern classics. Then came… the Croûtes (literally Daubs), messy, vulgar parodies of bad genre paintings… In 1971 and 1972, the Albertines disparues appeared… a new pretext for mockery and corruption, taking aim this time at the ideal objectivity of portrait photography. The Impuissances (Impotences), thirteen in all, faithfully and mindlessly reproduced dictionary illustrations… In 1973, Aires (Areas) developed as a collection of pencil-on-canvas works in which the artist thumbs his nose at the monochrome's ascetic surfaces… The same year Gasiorowski began Fleurs (Flowers), mechanical serial paintings of floral motifs and their respective flowerpots…

CERCLE RAMO NASH, Soap Opera (Silicon Valley Mandala), 2000, lessive en poudre, pigments (washing powder, pigments), diam. : 575 cm.
Collection Yoon-Ja & Paul Devautour.

Après Euro Disney Mandala en 1995, c'est la seconde fois que le Cercle Ramo Nash utilise le modèle du mandala. Pour Soap Opera (Silicon Valley Mandala), ils auront simplement substitué au produit naturel (le sable) un produit industriel (la lessive). Le dessin géométrique de ce mandala reproduit un modèle cartographique conçu pour orienter l'internaute dans l'univers des homepages du world wide web. Chaque plage de couleur représente une thématique dominante et donne accès à une autre carte affinant sur le même principe le pauvre catalogue de nos distractions préfabriquées. Se trouvent ainsi délimitées les parts de marché de nos pratiques culturelles contemporaines.

Following their 1995 Euro Disney Mandala, this is the second time that the Cercle Ramo Nash have made use of the mandala model. For Soap Opera (Silicon Valley Mandala), the group simply substituted an industrial product (soap powder) for a natural one (sand). The geometrical drawing of this mandala reproduces a cartographic model designed to orient cybernauts within the universe of the World Wide Web's homepages. Each color band represents a dominant theme and gives access to another map, refining by the same principle the poor catalog of our prefabricated pleasures. The market shares of our contemporary cultural practices are thus marked off.

Entre-temps auront lieu <u>Les Régressions</u>, tentative suicidaire
pour retrouver un style de peinture d'école, opérer un retour
à un stade antérieur de développement affectif et mental.
<u>La Guerre</u>, quant à elle, est déclarée en 1974. Guerre terrible
que le peintre livre seul contre le dogmatisme en peinture,
conçue comme un carnage, avec ses traînées de fumée,
ses chars enduits d'acrylique et brûlés, ses avions noirs qui
tombent, ses bombes. Puis, les quatre-vingt-quatre <u>Amalgames</u>
entre 1972 et 1982 qui seront un pillage en règle du musée,
une mise à sac moqueuse de l'histoire des formes modernes
et contemporaines. Ernst, Picasso, Beuys,
De Kooning, les expressionnistes, les abstractions lyriques
réduits sur papier avec du jus de merde. (13) »

In the meantime, the aptly named <u>Régressions</u> (Regressions) were suicidal attempts
to recapture 'an art-school style,' to accomplish 'a return to an earlier stage
of mental and emotional development'... <u>Guerre</u> (War), on the other hand,
was declared in 1974... A horrendous war that the painter
alone would wage against [the dogmatism in] painting,
a carnage with its smoke trails, tanks covered in acrylic,
torched, plummeting airplanes and bombs. [Finally]
the eighty-four <u>Amalgames</u> (Amalgams), produced between
1972 and 1982, were a proper pillaging of the museum,
a flippant sacking of the history of modern and contemporary forms. Ernst,
Picasso, Beuys, De Kooning, the various expressionist and abstract movements,
lyrical abstractions reduced on paper using liquefied fecal matter." **(13)**

(13) Jean-Yves Jouannais, « Gérard Gasiorowski, nouvelle histoire de l'infamie » ("Gérard Gasiorowski, A New History of Infamy") in <u>Art Press</u>, n° 200, mars 1995, pp. 27-28.

ALLEN RUPPERSBERG, _Remainders: Novel, Sculpture, Film_, 1991-1995, 128 livres, une table, 5 boîtes, un marque-page (128 books, 1 table, 5 boxes, 1 bookmark), 100 x 120 x 70 cm. Courtesy galerie Micheline Szwajcer, Anvers.

Le spectateur invité à manipuler, ouvrir et observer les ouvrages s'aperçoit rapidement qu'ils ne contiennent en fait que des images et les seuls textes se trouvent sur l'intérieur et le dos des jaquettes. Les images sont toutes issues de la collection des films documentaires de l'artiste et répertoriées chronologiquement de 1931 à 1967. Seule la lecture permet de comprendre qu'il n'y a qu'un seul texte qui lie tous les ouvrages en se déroulant de l'un à l'autre. C'est le texte du script de l'un des films de la collection de l'artiste, _LSD-25_. Ainsi malgré leur apparence différente (couverture, format, nombre de pages, graphisme, qualité du papier), chacun des seize ouvrages est l'œuvre d'un seul et même auteur. Entre roman, sculpture et film, _Remainders_ interroge le lien toujours très présent chez l'artiste entre cinéma et littérature et utilise comme matière première des mines d'informations périmées dont la société contemporaine a oublié jusqu'à l'existence.

A small oak table holds sixteen to eighteen piles of remaindered books for perusal. Given the open invitation to handle, open and observe the works, the viewer rapidly realizes that all of them contain only images and that the only texts are on the outside, printed on the front and back covers. All the images come from the artist's collection of documentary films and are arranged chronologically from 1931 to 1967. Only by perusing the books does one grasp that there is but one text linking the works, developing from one to the other. It is in fact the script of one of the films in the artist's collection, _LSD-25_. Thus, despite their different appearances (cover, format, number of pages, layout, quality of the paper used), each of the sixteen books is the work of one and the same author. Lying somewhere between a novel, a sculpture and a film, _Remainders_ questions the ever-present link in the artist's work between film and literature, using as its raw material these mines of information whose very existence is unknown to contemporary society.

# 3. Jeu cognitif
## COGNITIVE GAME

Ainsi, à travers ces trois exemples, on peut constater que le principe d'archive (ou de compilation) peut s'avérer autre chose qu'un simple système stéréotypé créant des échelles de valeur entre les signes, façon hit-parade. Le collage a déjà jeté au début du XXᵉ siècle les bases d'une pensée plastique où les hiérarchies se perdent et se confondent. Plus tard, des artistes ont enfoncé le clou d'une non-hiérarchie des signes, tout en jouant à produire des systèmes induits de classification, notamment à travers la notion de série ou d'accumulation — mais une accumulation devenant fictionnelle et non stratifiée, complexe et opaque. Chez des artistes comme Kelley, Kippenberger ou Gasiorowski, il s'agit plus d'un mode de pensée vagabonde, d'un comportement, voire même d'une attitude ontologique, dans laquelle les valeurs traditionnelles de la culture sont bousculées et décloisonnées.

Through these three examples then, we see that the principle of *archivage* (or compilation) can prove something other than a simple stereotyped system creating value scales between signs, hit-parade style. Collages had already laid down in the early years of the 20ᵗʰ century the basis for a way of thinking about form in which hierarchies are lost and merge. Later, artists drove home the lesson of a nonhierarchy of signs while playing at producing systems that can be inferred from classification, notably through the idea of a series or accumulation—albeit an accumulation that becomes fictional and not layered, complex and opaque. The work of artists like Kelley, Kippenberger or Gasiorowski is more about a vagabond mode of thought, a behavior, even an ontological attitude, in which the traditional values of culture are shaken up and decompartmentalized.

BRUNO PEINADO, *Sans titre*, 2003, acier inoxydable, matériaux de récupération, antennes (stainless steel, salvage equipment, antennas), 300 x 160 x 100 cm. Vue de l'exposition (view of the exhibition) *Kombi-Nação*, Centre d'art Paço das Artes, São Paulo. Courtesy galerie Loevenbruck, Paris. Photo : Edouard Fraipont.

Bruno Peinado voit le monde comme une collision d'images. Il convoque des signes, des slogans et des objets issus de la culture populaire en les reproduisant, pour les remettre en jeu dans un esprit de créolisation culturelle. Ces deux œuvres réalisées in situ à São Paulo dans le cadre de l'exposition *Kombi-Nação* – monographie de l'artiste au Paço das Artes – sont une appropriation des objets de la vie quotidienne, des déchets trouvés dans la rue, afin d'en faire une représentation entre sculpture et architecture précaire à l'image de cette ville chaotique.

Bruno Peinado sees the world as a collision of images. He conjures up signs, slogans and objects from popular culture, reproducing them in order to put them into play once again in a spirit of cultural creolization. The two works here were first realized as site-specific pieces in São Paulo as part of the show *Kombi-Nação*, a monograph of the artist at Paço das Artes. They are an appropriation of objects from daily life, rubbish found in the street, intended as a unstable representation that exists somewhere between sculpture and a architecture, the very image of the chaotic city of São Paulo.

"IT SEEMED THAT THERE WAS A SORT OF COLLECTIVE AMNESIA OUT THERE ABOUT WORKS OF THE RECENT PAST AND THAT SOME PEOPLE WERE MAKING WORKS THAT HAD ALREADY BEEN MADE. I FIGURED WHY NOT DO IT CONSCIOUSLY AND WITH INTENT."

« Il semble qu'il y ait eu ici une sorte d'amnésie collective à propos d'œuvres d'un passé récent. Des gens étaient en train de produire des œuvres qui existaient déjà. Je me suis dit : pourquoi ne pas le faire consciemment et intentionnellement ? »

Vue sous cet angle, cette méthode devient un outil critique de la pensée,
une analyse sémiologique de ses fondements et de ses implications
sur la construction de l'image contemporaine, oscillant entre le principe
très post-moderne de l'épuisement, et celui (issu d'une forme d'hyper-modernité)
du brouillage surexposé (la confusion des genres). Elle s'affirme en cela
comparable à un jeu cognitif construit sur un ésotérisme
ludique, un jeu de pistes destiné à brouiller les cartes
de la connaissance. « Homme de peinture, de fiction,
Gasiorowski fut avant tout un brouilleur de pistes,
de cartes », confirme Jean-Yves Jouannais (14). Quelques
années plus tôt, Gasiorowski, Kelley ou Kippenberger
auraient certainement participé aux réunions insolites
de ces *shandys* qu'Enrique Vila-Matas décrit plus haut.
Mais peut-être l'ont-ils été ? *Shandy*.

(14) Jean-Yves Jouannais, « Gérard Gasiorowski,
nouvelle histoire de l'infamie »
("Gérard Gasiorowski, A New History of Infamy")
in Art Press, n° 200, mars 1995, pp. 28.

From that point of view, this method becomes a critical tool
of thought, a semiological analysis of its foundations
and its implications for the construction of contemporary images,
shifting back and forth between the highly postmodern principle
of exhaustion and a second principle (that springs
from a form of hypermodernity) of overexposed scrambling
(the confusion of genres). In this it proves itself comparable to a cognitive game built
on a playful esotericism, a scavenger hunt meant to throw knowledge into confusion.
"A painter and creator of fictions, Gasiorowski was above all a man who covered
his tracks, who sowed confusion," as Jean-Yves Jouannais put it. (14)
A few years earlier, Gasiorowski, Kelley or Kippenberger would surely have taken part
in the extraordinary meetings of those Shandys that Enrique Vila-Matas
describes above. But then maybe they were? *Shandy*.

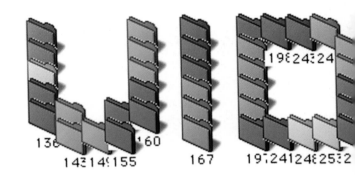

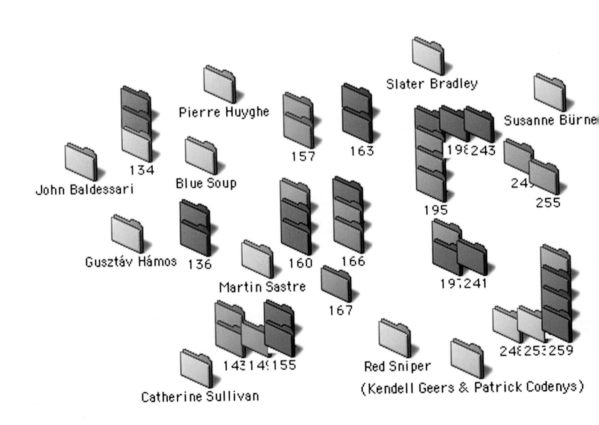

Slater Bradley

Pierre Huyghe

Susanne Bürner

157    163

198 243

John Baldessari    Blue Soup

249

255

195

Gusztáv Hámos    136

160    166

197 241

Martin Sastre

167

143 149 155

248 253 259

Catherine Sullivan

Red Sniper

(Kendell Geers & Patrick Codenys)

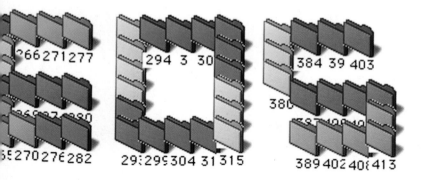

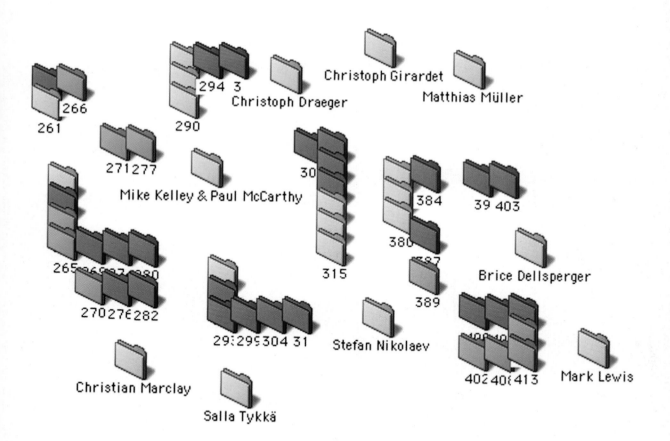

266 271 277

294 3 30

384 39 403

380

389 402 40{ 413

261 266

294 3
Christoph Draeger

Christoph Girardet

Matthias Müller

290

271 277

Mike Kelley & Paul McCarthy

30

384 39 403

380

315

Brice Dellsperger

389

265 26 27 280

270 27{ 282

29{ 299 304 31

315

Stefan Nikolaev

40{ 40

402 40{ 413

Mark Lewis

Christian Marclay

Salla Tykkä

# JOHN BALDESSARI

EN HAUT (ABOVE) :
JOHN BALDESSARI, *Baldessari Sings LeWitt*, 1972, vidéo. Courtesy Electronic Arts Intermix, New York.

John Baldessari a réalisé une série de vidéos qui démontent le discours du body art, du process art et de la performance. Dans *Baldessari Sings LeWitt*, il chante sur des airs de musiques populaires chacune des trente-cinq déclarations conceptuelles de Sol LeWitt publiées à New York en 1969, sur le modèle d'Ella Fitzgerald chantant Cole Porter.

John Baldessari has produced a series of videos that deconstruct Body Art, Process Art and performance. In *Baldessari Sings LeWitt*, the artist sings each of the thirty-five conceptual declarations published in 1969 by Sol LeWitt in New York, presenting them to the music of popular tunes along the lines of Ella Fitzgerald interpreting Cole Porter.

EN BAS (BELOW) :
JOHN BALDESSARI, *Script*, 1974, vidéo. Courtesy Bureau des Vidéos, Paris.

*Script* adapte la logique du montage narratif au cinéma jusqu'à l'épuisement du contenu. Réalisé avec des étudiants, il présente une variation sur dix séquences de scénarios hollywoodiens interprétées successivement par sept couples différents isolés les uns des autres.

*Script* adapts the logic of narrative editing to film to the point of exhausting content. Produced with the help of students, the work presents a variation on ten sequences from Hollywood scripts acted out by seven different isolated couples in succession.

# THE BLUE SOUP

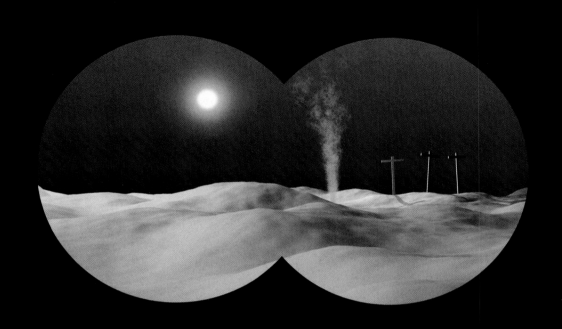

THE BLUE SOUP, *Panorama-Panorama*, vidéo, 2002. Courtesy Guelman Gallery, Moscou.

Le groupe Blue Soup a été fondé en 1996 par Alex Dobrov, Daniel Lebedev et Valery Patkonen. Depuis 2002, Blue Soup est constitué de Daniel Lebedev (né en 1974), d'Alex Dobrov et d'Alexander Lobanov (nés en 1975). Les trois artistes basés à Moscou créent principalement des vidéos courtes et minimalistes qui, par leurs formes abstraites simples colorées et le symbolisme dont elles sont imprégnées, rappellent et réinterprètent le suprématisme russe et les avant-gardes du début du siècle.

The Blue Soup Group was founded in 1996 by Alex Dobrov, Daniel Lebedev and Valery Patkonen. Since 2002, Lebedev (born 1974), Dobrov and Alexander Lobanov (born 1975) have made up Blue Soup. The three artists, based in Moscow, mostly create short minimalist videos. Through their simple abstract color images and the symbolism that pervades them, these films recall and reinterpret Russian Suprematism and the other avant-garde movements of the early 20th century.

SLATER BRADLEY, *Factory Archives*, 2002, vidéo. Courtesy Team Gallery, New York et galerie Yvon Lambert, Paris.

« Je me suis toujours intéressé aux mythologies tragiques, en particulier à leur construction, leur diffusion et leur pérennité. Le projet du "double" m'a permis de disposer de mon propre personnage tragique qui, tout en étant mon double fantomatique physique et psychologique, est la somme d'icônes perdues qui ont joué un rôle important dans mon expérience matérielle. Le double est à la fois une projection de ce que j'ai voulu être et tout ce que je ne peux pas être. En ressuscitant l'esprit des morts, ce projet est une reconnaissance de l'échec, de la maladie, du fantasme et du désir d'idolâtrie.
*Factory Archives* et *Phantom Release* présupposent l'existence de vidéos inconnues de Joy Division et Nirvana. Dans *Factory Archives*, le grain des images détériorées et délavées du double jouant Ian Curtis rappelle l'aspect des clips télé de la fin des années 70. Pendant cette nouvelle naissance de vidéos, Joy Division est apparu comme un ensemble incomplet, fissuré et spectral – les balbutiements techniques de la vidéo ont contribué à établir et à perpétuer son mythe et son mystère. Alors que n'existent que très peu des précieuses images du groupe, ma fausse archive assouvit un désir de réécrire l'histoire à travers mes propres images et idéaux. » Slater Bradley

"I've always been interested in tragic mythologies, particularly in their construction, distribution, and perpetuation. With the doppelganger project I have set out to create my own tragic figure who, on the one hand, is my physical and psychological ghost double while, on the other, is the sum product of other doomed icons who have figured prominently in my worldly experience. The doppelganger is both a projection of what I have wanted to be and the culmination of everything I cannot become. The project acknowledges the failure, sickness, fantasy and hope of idolatry, while resurrecting the spirit of the dead.
*Factory Archives* and *Phantom Release* suppose the existence of un-surfaced video recordings of Joy Division and Nirvana. In *Factory Archives*, the grainy, degraded, washed-out footage of the doppelganger performing as Ian Curtis recalls the look of the late 70's tube video cameras. During that new dawn of video, Joy Division emerged as a ghostly, fractured, incomplete whole — video technology's infancy helped substantiate and perpetuate its myth and its mystery. With precious little footage of the band in existence, my forged archive placates the desire to rewrite history through one's own image and ideals." Slater Bradley

SLATER BRADLEY, *Phantom Release*, 2003,
vidéo. Courtesy Team Gallery, New York.

« *Phantom Release* tire son titre d'une
des sections d'un extraordinaire site Internet
de fans, www.digitalnirvana.net, dédiée
aux prétendus enregistrements de Nirvana
encore à découvrir et à archiver. La page
du site intitulée "Guide pour les collectionneurs
de vidéos" apparaît ainsi comme un titre
au début de l'œuvre et suggère que,
même si son origine est soi-disant inconnue,
"mon" enregistrement existe bien parmi
la multitude des vidéos professionnelles
et amateur sur Nirvana à avoir été
minutieusement cataloguées et classées selon
leur qualité. Filmé en super 8 (kodachrome 40
et ektachrome 125), l'œuvre ressemble
à des chutes assemblées à la hâte. Le double
se glisse sans peine dans la peau du célèbre
guitariste gaucher et prend la mesure
de l'urgence qui a changé la vie
de ma génération. La performance du double
est gravée dans l'histoire de la musique pop
comme une archive authentique de Kurt
Cobain et renvoie au pouvoir de déformation
des médias, qui reflètent cependant notre besoin
de voir les légendes survivre, grandir
et ne pas s'éteindre. » *Slater Bradley*

" *Phantom Release* takes its title
from the extraordinary fan website
www.digitalnirvana.net, from a subsection
devoted to Nirvana releases that are believed
to exist but which have yet to be discovered
and archived. The site's section 'Collectors
Guide to Video' also appears as a title
at the beginning of the piece, suggesting
that 'my' release is among the legions
of amateur and professional Nirvana videos,
which have been thoroughly catalogued
and rated in quality, although its origin
is a pretend-unknown. Shot in super 8 with
kodachrome 40 and ecktachrome 125, the piece
looks like cobbled-together outtakes.
The doppelganger effortlessly slips into
the guise of the famous left-handed guitarist,
tapping into the urgency which changed
the lives of my generation. The doppelganger's
performance becomes burned into pop history
as a genuine memory of Kurt Cobain
and a reflection of the power of media
to distribute distortions, while mirroring
our need for mythic legends to survive,
grow, and not fade away. " *Slater Bradley*

SUSANNE BÜRNER, *Ohne Titel 2*, 2003, vidéo.
Courtesy galerie Chantal Crousel, Paris et galerie
Giti Nourbakhsch, Berlin.

La vidéo *Ohne Titel 2* explore, à travers trois séquences
très courtes, la fine frontière entre la banalité et l'horreur.
Chaque personnage, au sein d'une scène domestique
différente, est inclus dans un espace physique et mental
propre qui exclut le spectateur. Seuls quelques éléments
semblent faire allusion au monde extérieur :
des rideaux qui flottent dans la lumière et la bande-son
empruntée aux films d'horreur et aux thrillers. Ces éléments
évoquent une atmosphère de peur et d'horreur
en contradiction avec les autres composants du décor,
plutôt banals, sans rien d'effrayant.
Ainsi, perdu entre deux réalités différentes, entre innocence
et cruauté, le spectateur est finalement laissé seul face
à ses peurs irrationnelles et primitives.

In three short sequences, the video *Ohne Titel 2* explores
the very thin line between banality and horror.
Each character, depicted in one of the three domestic scenes,
is embedded in his or her own physical and mental space,
from which the viewer is excluded. Only a few elements seem
to refer to an outside world: the bright flickering curtains
and the soundtrack, which is taken from horror movies
and thrillers. These elements evoke an atmosphere of fear
and horror as opposed to the other, rather ordinary
and banal components of the settings, which don't seem scary
at all. Thus, lost in the gap between two different realities,
between innocence and evilness, the spectator is in the end left
alone with his irrational and primitive fears.

**Body Double 14**

**TRANS Entertainment**

Réalisation
**Brice Dellsperger**
Starring
**Sophie Lesné**

BRICE DELLSPERGER, *Body Double 14*, 1999, vidéo. Courtesy Air de Paris.

*Body Double 14* reprend une scène de *My Own Private Idaho* de Gus Van Sant (1992) :
celle où Mike Waters joué par River Phoenix avoue son amour à Scott Favor (Keanu Reeves).
Les rôles des deux hommes sont repris par la même femme (Sophie Lesné).

*Body Double 14* reworks the scene in Gus Van Sant's *My Own Private Idaho* (1992)
where Mike Waters, played by River Phoenix, confesses to Scott Favor (Keanu Reeves)
that he loves him. The two young men's roles are played by a woman (Sophie Lesné) in this case.

## Body Double 17

Réalisation
Brice Dellsperger
Starring
Gwen Roch'
Morgane Rousseau

...LSPERGER, *Body Double 17*, 2001, vidéo. Courtesy Air de Paris.

*...17 reprend une scène de Twin Peaks-Fire Walk With Me de David Lynch, jouée cette fois*
*...rs (Gwen Roch` et Morgane Rousseau).*
*...] se rejoue lui-même dans un processus d'autorecyclage incessant. Les codes qu'il utilise*
*...s depuis soixante ans, ce qui est révélateur d'une crise. [...] En proposant une copie plurielle*
*...ui elle-même se base sur des signifiants passés (c'est-à-dire qui est déjà elle-même*
*...uée), je cherche à pousser jusqu'à son paroxysme ou son épuisement ce jeu d'influence. »*
*...rger, à propos de Body Double X.*

*...17 takes a scene from David Lynch's Twin Peaks-Fire Walk With Me but uses two sisters*
*...and Morgane Rousseau) this time to play the parts. "Cinema [...] is itself replayed*
*...g process of self-recycling. The codes it uses have been the same for sixty years,*
*...tale sign of a crisis. [...] By proposing a plural copy of a scene that is itself based on past*
*...which is already a sham copy itself), I'm looking to push this play of influences*
*...nit or its complete exhaustion." Brice Dellsperger, on Body Double X.*

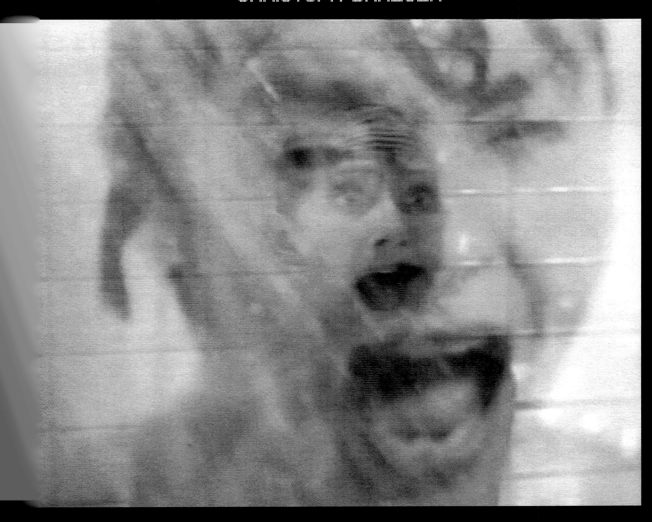

EN HAUT (ABOVE) :
CHRISTOPH DRAEGER, *Schizo (Redux)*, 2004, vidéo. Courtesy Anne de Villepoix, Paris et mullerdechiara, Berlin.

« Le remake de Gus Van Sant intitulé *Psycho* (1997, couleur) du film d'Hitchcock *Psycho* (1960, noir et blanc) est la tentative de remake la plus élaborée et la plus fidèle de l'histoire du cinéma. Gus Van Sant a essayé de reconstruire chaque scène, chaque angle de caméra présents dans l'original – seule l'histoire est transposée dans le présent, ainsi que les accessoires et les costumes et le film a été tourné en couleur. *Schizo (Redux)* est une expérience conceptuelle à travers laquelle j'ai essayé de superposer les deux films en numérique, créant ainsi une vision double : les *Psycho*(s) deviennent *Schizo*. Cependant, je me suis rendu compte que l'original et le remake étaient encore loin d'être identiques au niveau du montage, du rythme, du son, etc. J'ai essayé de les rapprocher le plus possible en refaisant le montage des deux films, en coupant chaque scène afin que chaque segment soit de la même durée. Le résultat, ma version de *Psycho*, *Schizo*, est comme un de ces films en trois dimensions, sauf qu'il n'existe pas de lunettes pour décoder l'image – elle reste schizophrène. » Christophe Draeger

"Gus Van Sant's remake of *Psycho* (1997, color) of Alfred Hitchcock's *Psycho* (1960, black and white) is the most elaborate and truthful attempt of a remake in cinematic history. Van Sant tried to reconstruct every scene, every camera angle according to the original–only the story is set in the present, the props and costumes are from today, the film is shot in color. *Schizo (Redux)* is a conceptual experiment in which I tried to superimpose one film over the other digitally, thus creating a double vision: the *Psychos* become *Schizo*. Nevertheless, I realized that the original and the remake were still far from being identical, on the level of edits, rhythm, sound etc. I tried to bring them as close as possible by re-editing both films, cutting each scene, each segment to the same length. The result is my version of *Psycho*: *Schizo*. It looks like one of those 3-D movies only that there are no glasses to reconstruct the image–it remains schizophrenic." Christophe Draeger

À GAUCHE (LEFT) :
CHRISTOPH DRAEGER, *Feel Lucky Punk??!*, 2000, vidéo. Courtesy Anne de Villepoix, Paris et mullerdechiara, Berlin.

Christoph Draeger juxtapose des scènes de hold-up tirées de *Taxi Driver*, *Pulp Fiction*, *Thelma et Louise*, *Magnum Force* ou *Tueurs nés* avec leurs reconstitutions par des acteurs amateurs filmés caméra à l'épaule et par un faux système de vidéo-surveillance.

Christoph Draeger juxtaposes hold-up scenes from *Taxi Driver*, *Pulp Fiction*, *Thelma and Louise*, *Magnum Force* or *Natural-born Killers* with their recreations by amateur actors filmed with a hand held handycam and a simulated video surveillance camera.

CHRISTOPH GIRARDET, _Release_, 1996, vidéo.

« _Release_ est constitué de quatre images montrant Fay Wray dans la scène de sacrifice de _King Kong_ (1933) qui, sous forme de fragments, sont répétées des milliers de fois, se succédant rapidement. Cependant, à cause de la lenteur de l'œil humain qui ne peut suivre ce rythme, la séquence ainsi reconstituée génère un nouveau mouvement de nature presque organique. Le montage saccadé et la bande-son, à la fois synthétique et archaïque, intensifient la séquence originale, lui faisant prendre la forme d'une obsession destructrice. » Christoph Girardet

"Four shots showing Fay Wray in the sacrifice scene from _King Kong_ (1933) are dissected into fragments and repeated thousands of times, shifting in the smallest increments of time. However, because the human eye does not move so quickly, the fast sequence generates a new, almost organic motion. Staccato montage and a soundtrack that sounds both synthetic and archaic intensify the original sequence, turning it into a destructive obsession." Christoph Girardet

CHRISTOPH GIRARDET & MATTHIAS MÜLLER, _Play_, 2003, vidéo.

« Dans _Play_, l'action à l'écran est seulement perceptible à travers les expressions faciales et les gestes du public. Dans des séquences montrant des réactions analogues, le comportement d'un individu résume un comportement collectif. L'événement est transposé de la scène à la salle. Les membres du public deviennent les acteurs d'un drame imprévisible. » Christoph Girardet et Matthias Müller

"In _Play_ the onscreen action can only be seen reflected in the facial expressions and gestures of the audience. In sequences of analogous reactions, individual behavior condenses into collective behavior. The event is transferred from the stage to the hall; audience members become the actors in an unpredictable drama." Christoph Girardet and Matthias Müller

# GUSZTÁV HÁMOS

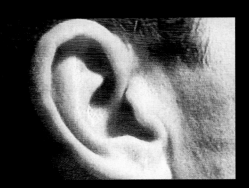

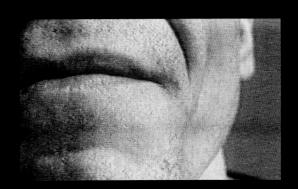

GUSZTÁV HÁMOS, *Seins Fiction II (The Invincible)*, 1983, vidéo. Courtesy Heidrun Quinque-Wessels, Berlin.

« Homère a dit que les héros combattent et tuent seulement dans le but d'être chantés par les poètes. Les poètes chantent les héros parce que ce sont des modèles vers lesquels on peut se tourner. Les héros me fascinent car ce sont des êtres si complexes qu'ils ne peuvent exister en réalité. J'ai trouvé un héros que je veux décrire : Flash Gordon. L'action est fondée sur des extraits de pièces radiophoniques qui suggèrent un contexte hollywoodien. Les images fantastiques qui découlent du montage des pièces radiophoniques sont contre-carrées par l'extrême simplicité avec laquelle Flash Gordon est représenté. La science-fiction est le conte de fée des temps modernes. Je me suis identifié à Flash Gordon, le héros de science-fiction. Je me suis plongé dans son personnage en regardant les films où il finit toujours par être l'Invincible. Nuit après nuit, j'ai écouté sa voix dans des aventures de pièces radiophoniques banales. Avec cette nouvelle conscience – conscience d'Invincible – j'ai commencé à travailler le rôle devant une caméra vidéo : dans une forme très réduite, je montre une vision objective de Flash Gordon et sa vision subjective de ce qui est en train de se passer – et je laisse tout le reste à l'imagination de chacun. » *Gusztáv Hámos*

"Homer said that heroes fight and die, only so that poets may sing them. Poets sing heroes because they are models by which one can orient oneself. Heroes fascinate me because they are such complex beings that really they cannot exist. I have found a hero I want to describe, Flash Gordon. The action is based on extracts from radio plays suggesting a Hollywood background… Science-fiction is the fairy tale of modern times. I identified with Flash Gordon the hero of science fiction. Night by night I listened to his voice in the adventures I delved into his character by looking at all his movies, where he always turns out to be the Invincible–I started to work it out in front of the video camera: in a very reduced form of ready-made radio plays. With this new consciousness–being the Invincible–I show the objective view of him and his subjective view of what is happening–leaving everything else to everybody's imagination." *Gusztáv Hámos*

PIERRE HUYGHE, _Remake_, 1994/1995, vidéo, 100 mn. Courtesy Marian Goodman Gallery, New-York-Paris.

« Le cinéma a colonisé le regard, induit des comportements, proposé des modèles de vie. Il ne faut pas seulement interroger le produit fini, mais les processus, en amont et en aval de l'œuvre. » _Remake_ est le remake de _Fenêtre sur cour_ (d'Alfred Hitchcock) tourné en vidéo, plan par plan. Les plans et les cadrages d'Alfred Hitchcock ont été parfaitement respectés. Seule variante : les personnages sont maintenant joués par des acteurs français inconnus, et le décor est transposé dans une banlieue parisienne. « J'ai demandé à l'actrice (qui n'en était pas une) d'être Grace Kelly plutôt que le personnage joué par Grace Kelly. Je demande à l'acteur d'être en surface, qu'il ne s'investisse pas psychologiquement dans le rôle. » Pierre Huyghe

"Film has colonized the gaze, introduced behaviors and offered models for living. It's necessary to question not only the finished product, but also the processes before and after the work." _Remake_ is indeed a shot-by-shot remake of Alfred Hitchcock's _Rear Window_ filmed in video. Hitchcock's own shots and framings have been perfectly respected. The only variation is that the characters are now played by unknown French actors and the setting has been transposed to a poorer Paris suburb. "I asked the actress (who isn't one) to be Grace Kelly rather than the character played by Grace Kelly. I asked the actor to remain on the surface, that he not invest himself psychologically in the part." Pierre Huyghe

# MIKE KELLEY & PAUL MC CARTHY

*MIKE KELLEY & PAUL MC CARTHY,*
*Fresh Acconci, 1995, vidéo. Collection Frac*
*Provence-Alpes-Côte d'Azur.*

*Fresh Acconci est le remake de performances*
*de Vito Acconci : Claim Excerpts, Contacts, Focal*
*Point, Pryings (1971) et Themesong (1973).*
*« Une œuvre comme Fresh Acconci [...]*
*fait référence à l'art actuel, à une résurgence*
*des années 70 et à un intérêt des jeunes*
*pour le monde de l'art. On y trouve aussi*
*des références aux films de série B hollywoodiens*
*et aux pornos soft tournés sur les collines*
*d'Hollywood. Il y a des codes pour de tels films.*
*Dans Fresh Acconci, la scène artistique*
*new-yorkaise est prise en sandwich*
*par Hollywood. Deux esthétiques coïncident. »*
*Paul Mc Carthy*

*Fresh Acconci is a remake of Vito Acconci's*
*performances, Claim Excerpts, Contacts, Focal*
*Point, Pryings (1971) and Themesong (1973).*
*"A piece like Fresh Acconci [...] is a reference*
*to art now, to a resurgence of the 1970s*
*and an interest in youth in the art world.*
*There are also references to Hollywood B movies*
*and the soft porn made in the Hollywood hills.*
*There is a formula for making those movies.*
*In Fresh Acconci, the New York art scene*
*is sandwiched with Hollywood. Two kinds*
*of aesthetic overlap." Paul Mc Carthy*

MARK LEWIS, *After (Made for TV)*, 1999, vidéo. Courtesy galerie cent8-serge le borgne, Paris.

« J'ai réalisé un "long-métrage" : *After (Made for TV)*, qui dure 16 minutes. J'ai écrit un scénario, un de ces thrillers noirs que nous rêvons tous de réaliser, puis j'ai effacé toute l'histoire, toute l'intrigue dans l'intrigue et toute la peinture des caractères. J'ai tourné ce qui restait : les scènes qui se passent "après", après une certaine évolution dans l'intrigue, les scènes où le film respire et devient purement visuel pour un moment, rattrape les changements imposés par l'histoire. [...] Je me réclame de toutes sortes de films – du cinéma commercial, des cinémas d'avant-garde, de formes plus prosaïques comme le film familial ou d'amateur, et ainsi de suite. » *Mark Lewis*

"Actually I did make a feature [...]. It's called *After (Made for TV)* and it's 16 minutes long. I wrote a script, one of those noir thrillers that we all want to make, but then I erased all the story, all the plot and characterization. What I shot was what was left, i.e., the 'after' scenes, the scenes that happen after some development in the plot, scenes where the film breathes and becomes optical for a moment, catches up with the changes imposed by the story [...]. My references as such are from all aspects of films, from the commercial cinema, from the avant-garde cinemas, from more prosaic forms such as home movies and so on." *Mark Lewis*

*CHRISTIAN MARCLAY, Telephones, 1995, vidéo.
Courtesy Christian Marclay et Paula Cooper Gallery,
New York.*

*Telephones* est une composition visuelle de sept
minutes trente formée de séquences de films
hollywoodiens qui mettent en scène l'image
et le son du téléphone. Emblématique de la tension
filmique qui caractérise le travail de Christian
Marclay, l'œuvre fonctionne comme un commentaire
sur la nature et les corrélations de l'image
et du son. Le montage son qui accompagne le film
accentue l'impression de collage et de décalage,
qui permet cependant à l'artiste de raconter
une seule et unique conversation téléphonique
faite du collage d'une centaine de scènes.
« Nous sommes tellement habitués à voir des films,
des images qui bougent sur du son, et on emprunte
volontiers le vocabulaire du film – le "montage",
le "jump-cut". Nous comprenons ce langage comme
nous comprenons les mots que l'on dit. Cela fait juste
partie du vocabulaire que l'on comprend, nous
sommes donc bourrés d'habitudes et de réflexes.
Il s'agit de toute façon d'une construction artificielle.
Le film est une illusion. » *Christian Marclay*

*Telephones*, a visual composition that runs for seven
minutes and thirty seconds, comprises various
sequences from Hollywood movies featuring the
image and sound of a telephone. Emblematic of the
filmic tension that characterizes Christian Marclay's
work, the piece acts like a commentary on the nature
and correlations of image and sound. The film's
montage/sound-editing heightens the impression
of collage and disconnection, yet allows the artist
to show one complete telephone conversation pieced
together from a hundred or so scenes. "We're so used
to seeing film, moving images with sound, and we take
the vocabulary of film–editing, jump cuts–for granted.
We understand that language the way we understand
the words we speak. It's just part of the vocabulary
that we understand, so we're full of habits
and reflexes. They're an artificial construct anyway.
Film is an illusion." *Christian Marclay*

# MATTHIAS MÜLLER

MATTHIAS MÜLLER, *Home Stories*, 1990, vidéo. Courtesy Matthias Müller, Timothy Taylor Gallery Londres, Galerie Volker Diehl, Berlin et Thomas Erben Gallery, New York.

« *Home Stories* met en scène un casting de nombreuses habituées des premiers rôles féminins empruntées à dix-sept mélodrames classiques d'Hollywood et fond tous les personnages en un seul archétype : l'héroïne hystérique menacée par un danger imminent. La source du danger est toujours invisible. Dans *Home Stories*, des représentations de la féminité extrêmement codifiées renvoient les unes aux autres, comme dans un jeu de miroir. Elles soulignent le caractère limité des activités assignées aux personnages féminins dans ce genre de films, créé pour les femmes, et forment, à partir de ces descriptions réduites et réductrices, une nouvelle narration condensée. Petit à petit, la maison familière devient espace claustrophobique, prison pour femme. *Home Stories* émet une critique idéologique de la représentation des sexes et se joue de la juxtaposition ludique de scènes ré-appropriées. "Oh Lana Turner nous vous aimons, levez-vous" (Frank O'Hara, *Poem*) » Matthias Müller

"Employing a cast of numerous 'leading ladies' culled from 17 classic Hollywood melodramas, *Home Stories* melts the female characters into one and the same figure: the hysterical heroine threatened by an ominous danger. Its source remains invisible. In *Home Stories*, extremely codified representations of femininity become mirror images of one another. They both stress the limited types of activities assigned to female characters in a specific genre made for female consumption and transform these confined and confining depictions in a condensed new narrative. The cozy home gradually turns into a claustrophobic space, a women's prison. *Home Stories* articulates an ideological critique of gender construction and at the same time enjoys the playful juxtaposition of its appropriated material. 'Oh Lana Turner we love you get up' (Frank O'Hara, *Poem*)." Matthias Müller

*STEFAN NIKOLAEV, The Screensaver / the Hard-disk / the Disk, 2003, vidéo, avec la participation de Fabien Verschaere (with Fabien Verschaere). Courtesy galerie Michel Rein, Paris.*

Qu'il soit cyclique ou linéaire, littéral ou métaphorique, le temps – celui qui passe, mais peut-être encore plus, celui qui est passé – imprègne presque entièrement le travail de Stefan Nikolaev. Dans *The Screensaver / the Hard-disk / the Disk*, un seul plan fixe montre un espace scénique frontal, une pièce dépouillée et étrange, proche de l'univers de David Lynch, dans lequel un personnage zappe et évolue au son de standards pop internationaux des années 70-80 interprétés en bulgare. Immédiatement l'effet « blind-test » opère, ce qui devait nous être familier nous devient étranger et le temps, celui auquel nous renvoient ces airs, nous transporte dans un lieu indécis.

Whether cyclical or linear, literal or metaphorical, time (passing time, but perhaps even more so time past) almost completely permeates the work of Stefan Nikolaev. In *The Screensaver / the Hard-disk / the Disk*, a single static shot shows a frontal theatrical space, a spare, strange room akin to the world of David Lynch in which a character channel-surfs and moves around to the sound of international pop standards sung in Bulgarian. The "blind test" effect immediately comes into play and what ought to be familiar becomes strange to us while time, the time to which these tunes send us back, transports us to a vague, uncertain place.

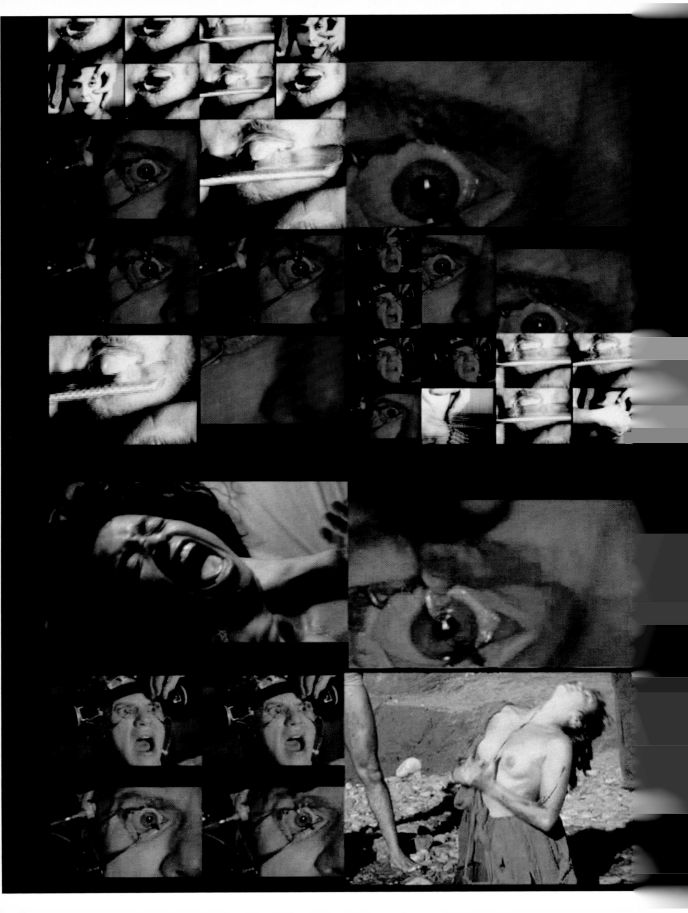

RED SNIPER (PATRICK CODENYS & KENDELL GEERS), Selected Works, 2004, vidéo.

RED SNIPER (PATRICK CODENYS & KENDELL GEERS).

« Red Sniper réunit deux univers, celui de l'artiste Kendell Geers et d'un pionnier de la musique électro, Patrick Codenys. Ce projet étant un pur hybride, il est très difficile d'en définir la nature exacte. On peut cependant dire avec certitude qu'il ne s'agit ni d'un groupe de musique électronique, ni d'un projet de VJ. Il ne peut pas non plus être défini comme une performance ou un art vidéo. Red Sniper se situe aux limites de toutes ces disciplines afin de créer un langage autant visuel que sonore, autant conceptuel qu'expérimental, autant performatif que programmé. La complexité du projet tire son origine de la complexité même du processus de création. L'image et le son sont considérés de la même manière et sans compromis, afin de créer une tension entre ce qui est vu et ce qui est entendu et dans quel ordre. Les images sont tirées de films hollywoodiens classiques, de journaux télévisés, de films pornographiques, de films amateurs et de documentaires. Les extraits sont montés, re-montés, mis en boucle et ré-animés ensemble avec leur bande-son originale. La bande-son ainsi obtenue est elle-même composée, re-mise en boucle, dé-composée et ré-animée comme une partition musicale. L'image est ensuite de nouveau re-montée en fonction de la bande-son, en arrière et en avant, l'image et sa bande-son sont composées et recomposées comme un jeu d'échecs. Les deux artistes travaillent avec les mêmes matériaux, mais en ont une approche selon des points de vue extrêmement différents et selon la discipline de chacun. Ils renversent l'industrie de la culture populaire et le domaine public en une expression hybride qui questionne les limites de l'expérience entre ce qui est vu et ce qui est entendu. » Kendell Geers

"Red Sniper is the fusion of two worlds, that of plastic artist Kendell Geers and Electronic music pioneer Patrick Codenys. Being a pure hybrid, it is very difficult to precisely define the exact nature of the project but it can be said with all certainty that it is not an electronic music group or VJ project, nor can it be defined in terms of performance or video art. Red Sniper functions within the borders that exist between all of these disciplines creating a language that is as visual as it is aural, as conceptual as it is experiential, as performative as it is codified. Both the image and sound are considered as equal and without compromise, creating a tension between what is seen and what is heard and in which order. The images are sampled from mainstream Hollywood films, television news, pornography, home movies and documentaries. The samples are edited, re-edited, looped and re-animated together with their original soundtrack. The resulting new soundtrack is then composed, re-looped, de-composed and re-animated as a musical composition. Thereafter the image is once again re-edited according to the soundtrack, backwards and forwards, the image and its sound are composed and decomposed like a game of chess. Both artists consider the same material but approach it from entirely different points of view and from the perspective of their own discipline, reverse engineering popular culture and the public domain into a hybrid expression that questions the boundaries of experience between what is seen and what is heard." Kendell Geers

...en realidad esa noche...

...Matthew Barney...

MARTIN SASTRE, Videoart: the Iberoamerican Legend, 2002, vidéo. Courtesy pour les images (for the images) Galerie Luis Adelantado, Valence. Courtesy pour la vidéo (for the video) MUSAC Museum of Contemporary Art of Castilla y León, Valladolid.

Pour Videoart: the Iberoamerican Legend, l'artiste uruguayen Martin Sastre se met en scène dans la peau d'un personnage inspiré par Matthew Barney, dans un show télévisé futuriste retraçant l'histoire de la vidéo « ibéro-américaine ». Dans l'imaginaire de Sastre, celle-ci aura bientôt remplacé l'économie hollywoodienne en opérant des remakes de nombreux films grand public. Sous couvert d'une esthétique baroque empruntée à la science-fiction, c'est une véritable critique politique que l'artiste nous livre, montrant l'acuité des oppositions nord / sud ou centre / périphérie dans la production culturelle mondiale.

For Videoart: The Iberoamerican Legend, the Uruguayan artist Martin Sastre puts himself in the role of a character inspired by Matthew Barney in a futuristic TV show tracing the history of "Ibero-American" video. In Sastre's imagination, Ibero-American video will soon replace the Hollywood economy by turning out remakes of many mass-entertainment movies. Using an over-the-top esthetic borrowed from science fiction as his cover, the artist offers us a true political critique, showing the sharpness of north / south and center / periphery oppositions that exist in the world's cultural output.

CATHERINE SULLIVAN, '*Tis Pity She's a Fluxus Whore*, 2003, vidéo. Courtesy galerie Christian Nagel, Cologne-Berlin.

« '*Tis Pity She's a Fluxus Whore* met en rapport deux traditions de performance très différentes l'une de l'autre. Il s'agit du théâtre anglais du dix-septième siècle et des actions Fluxus du vingtième siècle. Publiée en 1633, '*Tis Pity She's a Whore* est la plus connue des pièces de John Ford. [...] Fluxus fait référence à un mouvement international d'avant-garde actif en Europe et aux États-Unis dans les années 60 et 70. [...] Catherine Sullivan s'est intéressée à un programme d'actions Fluxus présenté au Festival de l'Art Nouveau à l'Académie Technique d'Aix-la-Chapelle (Allemagne) le 20 juillet 1964. [...] [Elle] a choisi de se concentrer sur les actions de huit artistes Fluxus : Ben Vautier, Bazon Brock, Ludwig Gosewitz, Eric Andersen, Arthur Koepke, Robert Filliou, Wolf Vostell et Joseph Beuys. [...] '*Tis Pity She's a Fluxus Whore* est le résultat d'une condensation et d'un déplacement en une seule nouvelle œuvre de deux productions séparées datant d'époques différentes. [...] Son processus de travail, dans ce cas, a consisté à codifier deux styles de performance distincts, l'un représentant Fluxus, l'autre évoquant le théâtre de Ford. Chaque scène contient une transition au cours de laquelle le style de performance change de Fluxus au théâtre du dix-septième et vice-versa. [...] Le résultat est un excès de sens improbable, La confusion d'identités et de narrations qui en résulte empêche de faire le rapport avec la source originelle. [...] Catherine Sullivan offre une intensification de la forme expressive sans aucun recours à une expression cohérente. » Nicholas Baume, commissaire d'exposition

"'*Tis Pity She's a Fluxus Whore* brings together two wildly different performance traditions. One is that of seventeenth century Jacobean drama, the other that of twentieth century Fluxus actions. Published in 1633, '*Tis Pity She's a Whore* is John Ford's best-known play. [...] Fluxus refers to an international avant-garde movement active in Europe and the United States in the 1960's and 1970's. [...] Catherine Sullivan became interested in a program of Fluxus actions that was presented as the Festival of New Art at the Technical Academy in Aachen, Germany, on July 20, 1964. [...] [She] chose to focus on the actions of eight of the [Fluxus] artists: Ben Vautier, Bazon Brock, Ludwig Gosewitz, Eric Andersen, Arthur Koepke, Robert Filliou, Wolf Vostell and Joseph Beuys. [...] '*Tis Pity She's a Fluxus Whore* is a result of the condensation and displacement of two disparate productions from two different moments into an entirely new work. [...] Her process, in this case, has been to codify two distinctive styles of performance, one that represents Fluxus, another invoking Ford's drama. Each scene includes a transition, where the performance style shifts from Fluxus to Jacobean and vice versa. [...] The resulting confusion of identities and narratives undermines any comprehensible relationship to an 'original' source. [...] The result is an impossible excess of meaning, a piling up of significations, an accumulation of gestures. Sullivan offers an intensification of expressive form without recourse to any coherent expression." Nicholas Baume, curator

# SALLA TYKKÄ

SALLA TYKKÄ, *Thriller*, 2002, vidéo. Courtesy galerie Yvon Lambert, Paris.

Salla Tykkä évoque le « thriller » et ses codes traditionnels : le cadrage, le montage, les scènes ou la bande-son, tirée du film de John Carpenter, *Halloween* (1978). L'action se passe dans un chalet au cœur d'une forêt en hiver. Une adolescente semble avoir échappé à une agression ou être possédée, au choix. Le non-dit et la suggestion épousent l'ambiance de suspense sans donner de réponse explicite au spectateur.

Salla Tykkä evokes here the "thriller" and its traditional codes, i.e., the particular framing, editing, scenes, or soundtrack, in this case borrowed from John Carpenter's *Halloween* (1978). The action takes place in a chalet deep in a forest in winter. Suggestion and what is left unsaid embrace an atmosphere of suspense without offering the viewer any clear answer.

p. 185

« Tu es programmateur de télévision. Tu sais, quoi que tu fasses, que les gens regardent la télévision. Tu sais, quoi que tu fasses, que le public de la télévision est un "mauvais public" : il vaque, mange, pisse, dort, zappe, bavarde, songe, s'autorise à être con et prend plaisir à regarder ce qu'il n'aime pas... Tu le sais bien, mais tu cherches malgré tout à ce que ce soit devant ta chaîne qu'il fasse tout cela. Tu ne sais plus qui a dit : "la programmation de la télévision est un art de la rencontre" - mais tu ne sais toujours pas qui tu dois rencontrer ni ce que veulent les gens. Tu sais, en tout cas, que l'audimat non plus n'en sait rien : il te donne ex post des chiffres de succès ou d'échec sans jamais t'en dire les raisons. Alors tu supputes. Tu extrapoles. Tu joues des contraintes d'une industrie à risques : tu sais que le standard bénéficie du succès passé mais que le déjà connu risque de lasser, comme tu sais que l'original est le gage d'un succès nouveau mais que le nouveau risque de déplaire. Tu es donc l'adepte d'un mixte "marketing - doigt mouillé". Tu fais des paris sur ce que tu penses être "less objectionable" : des Noirs, mais pas trop ; des pédés, mais artistes ; des gros, mais sympas ; des femmes, mais jolies ; des voitures, mais écolos ; des riches, mais malheureux ; des pauvres, mais chanceux ; des Arabes ? - pas encore. Tu es un théoricien lunatique qui passe son temps à justifier avant pourquoi tu acceptes ou refuses de programmer ceci ou cela et après pourquoi cela a marché ou pas : tu peux expliquer avant pourquoi "les Français" n'aimeront pas la "télé-réalité" et expliquer après les bonnes raisons qu'ils ont d'y être sensibles. Tu peux souvent te permettre d'avoir toujours raison : tu sais qu'en France la concurrence est faible et l'innovation limitée. Tu sais que dans ce pays de la Culture Légitime les auteurs de fiction télévisuelle se prennent tous pour des écrivains et que personne n'a le métier pour faire ce qui te plaît tant dans la télévision anglophone : des sitcom et des séries drôles, déjantées et virtuoses de l'ambiguïté touchant aux troubles des sentiments, des identités, des sexualités, du politique, de l'ethnicité. Car tu sais bien que la qualité de la programmation de la télévision n'a rien à voir avec une "demande du public" qui n'existe pas, mais avec la créativité de l'offre. Malgré tout, c'est ton boulot : tu programmes à jet continu les avatars d'un monde social dans lequel tu penses que vivent ceux qui s'affalent ou se calent devant leur poste. Tu ne le dirais peut-être pas ainsi, mais tu sais qu'au fond ce que tu programmes n'est que le compromis instable d'un conformisme provisoire : tout comme l'art à sa manière, les avatars télévisuels du monde charrient les conflits et les contradictions culturelles, les non-dits et les mythes, les ambivalences et les ambiguïtés typiques de "l'esprit du temps" de ton époque. Tu n'es pas vraiment un artiste : tu es un médium. Tu ne prétends pas refléter la vérité du monde : tu paries sur le "réalisme" de représentations qui souvent expriment notre bien faible capacité collective à définir le monde autrement qu'à travers ses stéréotypes, et qui parfois, dans le même temps, sont porteuses de déboîtements transgressifs et créatifs. Comme l'avaient compris Roland Barthes, Edgar Morin et Stuart Hall, la mediaculture de tes programmes nous en dit beaucoup sur le monde dans lequel nous vivons : tu es une mine d'or pour la sociologie. »

Éric Macé est sociologue, spécialiste de l'espace public, des médias et de la culture de masse.

"You're a TV program planner. You know that whatever you do people are going to watch television. You know that whatever you do the TV audience is a 'bad audience' they go about their business, eat, take a leak, sleep, zap, chat, dream, allow themselves to be complete dolts and take pleasure in watching what they don't like… You are well aware of this but you endeavor, despite everything, to make sure that they do all that in front of your channel. You no longer know who said 'programming for television is the art of arranging a meeting,' but you still don't know who you have to meet and what people want. You know in any case that the ratings people don't have a clue either. They give you after the fact the figures of success or failure without ever telling you the reasons why. So you calculate You extrapolate. You work the constraints of a risk industry: you know that the standard benefits from past success but that the same old runs the risk of wearing viewers out, just as you know that the original is a token of new success whereas the new runs the risk of displeasing the audience. So you are a great believer in a 'marketing-and-finger-to-the-wind' mix. You put your money on what you think is 'less objectionable': Blacks, but not too many fags, but artist-fags; fat people, but nice fat people; women, but pretty women; cars, but environmentally friendly cars; rich people, but unhappy rich people; poor people, but lucky poor people; Arabs? Not yet. You are a loony theoretician who spends his time justifying beforehand why you accept or refuse to program this or that and afterwards why it worked or didn't: you can explain beforehand why 'the French' won't like 'reality TV' and explain afterwards the sound reasons they have for taking to it. You can often allow yourself to always be right: you know that in France competition is weak and innovation limited. You know that in this country, where Legitimate Culture reigns, the authors of TV fiction all take themselves to be writers and that nobody has the knack to do what you like so much in American television: sitcoms and series that are funny, off the wall and brilliant generators of ambiguity vis-à-vis the problems of the heart, identity, sexuality, politics, ethnicity. Because you well know that the quality of television programming has nothing to do with a 'public demand' that doesn't exist but the creativity of supply. Despite everything, it's your job: you program in one continuous stream the avatars of a social world in which you think those who chill out or settle into their E-Z chair in front of the tube are living. Maybe you wouldn't put it that way, but you know that basically what you program is but the unstable compromise of a temporary conformism: just like art in its way, TV avatars of the world convey the cultural conflicts and contradictions, the things left unsaid and the myths, the typical ambivalences and ambiguities of the 'prevailing spirit' of your day and age. You're not really an artist, you're a medium. You don't claim to reflect the truth of the world. You put your money on the 'realism' of representations that often express our all-too-feeble collective capacity for defining the world only through its stereotypes which occasionally are at the same time the bearers of transgressive and creative dislocations As Roland Barthes, Edgar Morin and Stuart Hall understood it, the mass-media culture of your programs says a lot about the world we live in: you're a goldmine for sociology."

Eric Macé is a sociologist specialized in the study of public space, the media, mass culture and cultural movements.

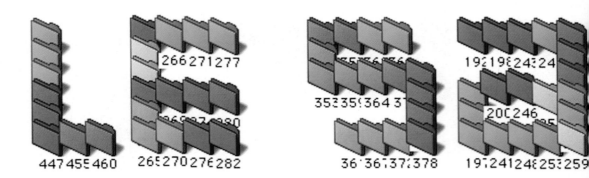

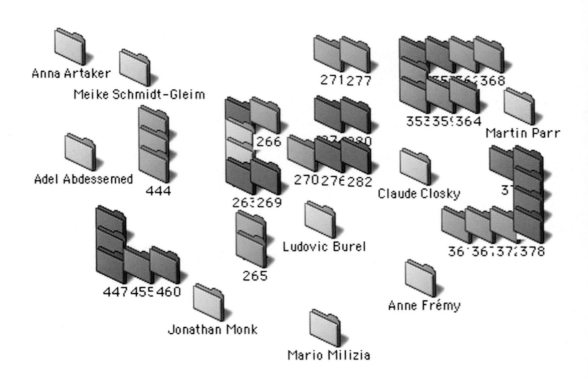

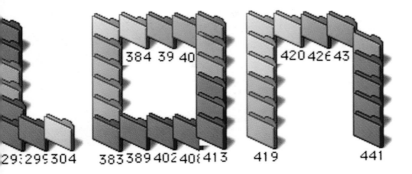

293 299 304    383 389 402 408 413    419    441

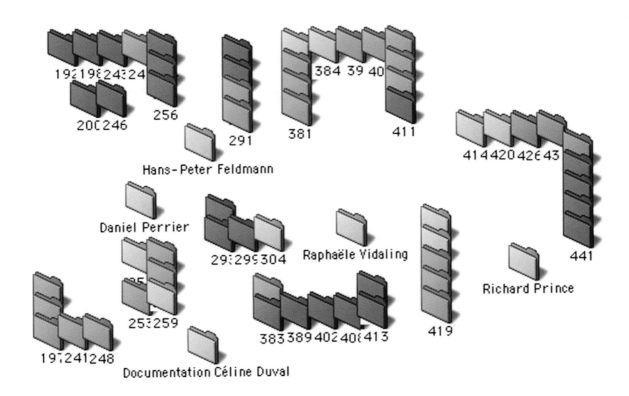

192 198 243 324

200 246    256

291

Hans-Peter Feldmann

384 39 40

381    411

41 4 420 426 43

441

Daniel Perrier

293 299 304    Raphaële Vidaling

Richard Prince

253 259

383 389 402 408 413    419

197 241 248

Documentation Céline Duval

ADEL ABDESSEMED, _The Green Book_, La Criée, Centre d'art contemporain, Rennes, 2002.

_The Green Book_ réunit sous forme de fac-similé les transcriptions d'une quarantaine d'hymnes nationaux collectés par Adel Abdessemed, au gré de ses rencontres, dans leur langue d'origine (français, anglais, berbère, chinois, japonais...) sur différents supports comme du papier à lettres, nappes de restaurant, cartes postales, fax...

_The Green Book_ features some forty national anthems in facsimile transcription. The anthems, has collected these songs thanks to various people he has met over the years. The anthems, presented in their original language (French, English, Berber, Chinese, Japanese and so on), are shown on a range of supports such as writing paper, restaurant placemats, postcards, fax, etc.

# ANNA ARTAKER & MEIKE SCHMIDT-GLEIM

Manfred Schneider

**Der Barbar**

Endzeitstimmung
und Kulturrecycling

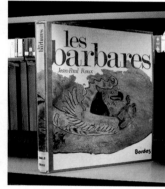

ANNA ARTAKER ET MEIKE SCHMIDT-GLEIM, *Les archives des barbares,* ouvrage publié
à l'occasion de l'exposition (book published at the occasion of the exhibition)
*Did You Ever Dream of Becoming Barbarian?, Public>, Paris, 2003.*

Si le sens premier du mot barbare désigne celui qui vient d'ailleurs, qui ne parle pas la langue
des civilisés, *Les archives des barbares* réunissent en un assemblage de fragments disparates
« tout ce qui répond au nom et au son de barbare ». Dans cet ouvrage dont l'enjeu est politique
et culturel, la figure du barbare devient le catalyseur idéal d'un espace d'anomalie, fondamentalement
a-politique et au-delà s'invente une notion de barbarie positive, essentiellement créatrice.
La réflexion artistique sur la barbarie permet alors un renversement symbolique :
du barbare comme vecteur classique de l'exclusion au barbare comme figure de résistance
à l'ordre établi, donc moteur du monde et de l'histoire.

The original meaning of the word barbarian is someone who comes from elsewhere, someone
who doesn't speak the language of civilized people. *Les archives des barbares* assembles a number
of disparate fragments, "everything answering to the name and the sound of barbarian."
The issues raised by this work are political and cultural; in it the figure of the barbarian becomes
the ideal catalyst of an anomalous space that is fundamentally apolitical, beyond which a notion
of a positive, essentially creative barbarianism is invented. An artistic reflection on barbarianism
allows a symbolic reversal, i.e., from the barbarian as a classic vector of exclusion and hence a driving
to the barbarian as a figure of resistance vis-à-vis the established order and hence a driving
force in the world and history.

tél .................
BARBANEL Julien 327 r St Martin 3ᵉ .
. Sofia 124 bd Rochechouart 18ᵉ .........
. Suzanne 8 r Changarnier 12ᵉ ...........
BARBANT Daniel 32 r Javelot 13ᵉ .....
. Daniel
5 bis av Théodore Rousseau 16ᵉ .........
. Robert 3 av Beaucour 8ᵉ ...............
BARBANTI Roberto 17 r Texel 14ᵉ ...

**BARBAPAPA**
Elecrem Propriétaire
52 r Louveau–92320 Châtillon ..... **01**
télécopie .......................... **01**

BARBAR Nicholas 8 r Gramme 15ᵉ......
. Olivier 20 r André del Sarte 18ᵉ ......
BARBARA 36 r Linois 15ᵉ ..............
BARBARA Anne-Laure
8 pass Vallet 13ᵉ .....................
. Bruno 96 r Fourcroy 17ᵉ mobile ......
. Claudine 6 r Charles et Robert 20ᵉ ...
. Diane 45 r Alleray 15ᵉ ...............
. Ezequiel 5 r Hainaut 19ᵉ.............
. Jean-Jacques
34 r Sébastien Mercier 15ᵉ ............
. Marcello 118 bd Diderot 12ᵉ ........
. Martial 7 r Coulmiers 14ᵉ ..........

# LUDOVIC BUREL

PAGE SUCKER NUMERO UN SKULL.JPG

7 EUROS

LUDOVIC BUREL, *PAGE SUCKER NUMERO UN SKULL.JPEG*, Tux-tv.net, Paris, 2002.

En collaboration avec le graphiste Regular, Ludovic Burel a fondé *Page Sucker*, une revue
constituée d'images et de textes collectés via Internet autour d'un mot-clé unique.
Pour le premier numéro, « skull.jpg » (« crâne.jpg ») est le mot-clé lancé sur tous les moteurs
de recherche dans le but de rassembler une source documentaire strictement numérique
et dans une absence totale de hiérarchie. www.pagesucker.org

Working with the graphic designer Regular, Ludovic Burel founded *Page Sucker*, a review that is
made up of images and texts collected around a single key word via the Internet. For the first issue,
"skull.jpg" was the key word introduced into all the research engines with the idea of putting together
a strictly digital documentary source in the complete absence of any hierarchy. www.pagesucker.org

CLAUDE CLOSKY

# Mon Catalogue

CLAUDE CLOSKY, _Mon catalogue_, éditions Frac Limousin, Limoges, 1999.
« _Mon catalogue_ : 280 pages de descriptifs de produits vendus par correspondances, classés par rubriques, définitivement réappropriées par son lecteur/client potentiel. La chemise en toile de Mayenne devient "Ma chemise en toile de Mayenne", les disques compacts de relaxation deviennent "Mes disques compacts de relaxation", la porte blindée anti-effraction, "Ma porte blindée anti-effraction". 280 pages de descriptifs sans image où le remplacement de l'article défini par l'adjectif possessif agit comme l'illustration de notre rapport au produit — de son désir à son utilisation. L'ensemble du descriptif comme illustration de notre aliénation au produit (à l'article) : "Mon canapé. Telle une pièce de maître conçue avec un intense amour du détail, mon canapé, fruit du design contemporain, s'adresse à tous ceux qui, comme moi, ont le goût de la perfection et attachent de la valeur à la réalisation d'un style de vie personnel. Façonné à la main point par point par des tanneurs, selliers et bourreliers, mon modèle est un original : c'est le résultat d'un travail artisanal unique dans un cuir naturel d'exception. Car si ce que je possède me révèle, mon objectif n'est pas seulement de répondre à un souci utilitaire mais de donner une âme à mon mobilier." Un putain de canapé dans lequel notre subjectivité engage une grand part de ses valeurs... La réécriture à la première personne du singulier (un singulier de série) comme mise en forme de la fusion des identités ("Je") et des objets (le canapé). Une réécriture qui transforme le client potentiel en heureux possesseur... Un heureux possesseur qui s'approprie le monde comme un enfant (mon premier mange-disque, ma cuisinière, etc.). Je suis ce que j'ai acheté et ce que j'ai acheté me révèle, me modifie : "Mon repousse-chiens. Je n'ai plus peur des chiens car je me protège des agressions en utilisant mon repousse-chiens. Une simple pression du doigt et le plus féroce des molosses se calme et s'éloigne immédiatement. Les ultrasons générés par mon astucieux appareil ont une action dissuasive sur les tympans des chiens de toutes races. " Révélation d'un stade ultime de la consommation... Un stade où ma personne appartient plus au produit que j'utilise qu'à moi-même. Un usage du produit qui parle en mon nom et transforme ce qu'il me reste de personnalité en usager aliéné et benêt. Un canapé et un repousse-chiens qui me révèlent dans une société qui limite ma capacité d'expression à ma capacité de choix. La commande (par correspondance) comme expression du désir. La vie est un catalogue, et la personnalité une utilisation. » Jean-Charles Massera, _Amour, gloire et CAC 40_, P. O. L., Paris, 1999, pp. 77-79.

"_My Catalogue_ (Claude Closky): two hundred and eighty pages of mail-order product descriptions, classified by category, and definitively reappropriated by the potential customer-reader. The shirt in Mayenne cloth becomes 'My shirt in Mayenne cloth', the relaxation compact discs become 'My relaxation compact discs', the antiburglary security door becomes 'My antiburglary security door'. Two hundred and eighty pages of descriptions without pictures in which the replacement of the definitive article by the possessive pronoun acts as an illustration of our relationship to the product–from desiring it to using it. The full description as an illustration of our alienation by the product (the item): 'My couch. A masterpiece of contemporary design, made with tender, loving care for each and every detail, my couch is meant for all those who seek perfection as I do and who attach great value to creating a personal lifestyle. Hand crafted, piece by piece, by tanning, upholstering and leather craftsmen, my model is an original; it is a unique piece of outstanding craftsmanship made in exceptional-quality natural leather. What I own reveals who I am and although I am a practical person, I want my furniture to have soul'. A fucking couch in which our subjectivity engages a good part of its values… The rewriting in the first-person singular (a mass-produced singular) as formulating a fusion of identities (me, myself, and I) and objects (the couch). A rewriting that turns the potential customer into a happy owner… A happy owner who appropriates the world in the manner of a child (my first record-player, my Chatty Cathy, my stove, and so on). I am what I buy and what I buy reveals and modifies who I am: 'My dog repellent. Ever since I brought my dog repellent home, I'm not afraid of dogs anymore. I simply press the button and the biggest, most ferocious dogs calm down immediately and run away. My clever device uses ultrasounds that have a dissuasive effect on the eardrums of dogs of all breeds.' Demonstration of the ultimate stage in consumption… A stage in which I am my product's person more than my own. A product use that speaks on my behalf and turns whatever is left of my personality into a mindless, alienated user. A couch and a dog repellent that reveal who I am in a society that limits my capacity to express myself to my capacity to choose. Ordering (by mail) as the expression of desire. Life is a catalogue, and personality a matter of using." Jean-Charles Massera, _Sex, Art and the Dow Jones_, New York: Lukas & Sternberg, 2003, pp. 71-74. Trans: Gila Walker.

# DOCUMENTATION CÉLINE DUVAL

*DOCUMENTATION CÉLINE DUVAL,*
*Les pointeurs de doigts. Montré dans l'exposition*
*collective organisée par Hans-Peter Feldmann*
*(shown in the collective exhibition organized*
*by Hans-Peter Feldmann) Jean-Pierre*
*Magazine, Centre national de l'Estampe*
*et de l'Art imprimé, Chatou, 2001.*
*Photo : Pierre Leguillon. Courtesy*
*Documentation Céline Duval, Houlgate.*

## LES GENS QUI REGARDENT

**Photos découpées dans magazines et livres**
- dessins, peintures
- maquillage, miroir
- baisers, couples, séduction
- affectif (mère et enfants)
- rencontre (mains serrées), rire
- sur animaux
- sur statue, corps
- spectateurs, idole
- sur mort, tristesse, détresse
- tireurs, revolver
- photographes (paparazzis, jumelles, homme/femme, photographe photographié, touristes)
- pointeurs de doigt (index)
- voyeurs
- sur image
- lecteurs (de journaux, livres, documents, religieux)
- écriture
- ordinateur
- microscope
- chirurgie, médical
- sur corps (soins beauté, maquillage, coiffeurs)
- sculpteurs
- ouvriers
- travaux manuels (couture, tissage)
- laver, nettoyer
- travailleurs en extérieur (lié à l'alimentaire)
- marchés (consommateurs)
- cuisiniers
- manger et boire
- dans la rue
- sur objets
- musiciens
- danseurs
- jeux (divers enfance, ballon, société)
- absent et errance - voyage

**Images découpées dans les magazines**
* publicités diverses
* Mickey et dérivés
* Barbie et dérivés

* consommation
- marques
- production
- argent

* yeux
1) yeux cachés
- avec les mains
- avec un objet
- yeux fermés
- un œil caché (avec main ou objet)
2) masques
3) lunettes

* stéréotypes devant caméra
1) les doigts en V
2) les grimaces

* jeux de mains
1) index (les pointeurs de doigt)
2) doigt sévère (menace, attention)
3) main devant les yeux (protection soleil)
4) main levée (salutation)
5) doigt dans le nez

* images / gens
1) images chez les gens
2) les porteurs d'images
3) images sur vêtements
4) images dans l'espace public
5) gens et télévision
6) divers

* jeux d'enfants
1) ballon
2) cerceau
3) bulles (chewing-gum – savon – salive)
4) ping-pong
5) balançoires
6) divers

* séries
1) équilibre
2) gens qui posent avec un poisson
3) langues tirées
4) lasso
5) cercle
6) effets lumineux
7) motif panthère
8) saut
9) course
10) écriture dans l'image
11) post-it
12) tour Eiffel
13) baiser sur la bouche
14) zoophilie
15) homosexualité féminine
16) la pub dans le quotidien
17) piscines
18) anges

* divers
1) lien avec cartes postales
2) images choc, étranges, à garder
3) images publiées plusieurs fois
4) idoles (stars)

## PHOTOS CLIPPED OUT OF MAGAZINES AND BOOKS

drawings, paintings / make-up, mirror / kissing, couples, seduction / emotional (mothers and children) / meeting (handshakes), laughing / on animals / on statues, bodies / spectators, idols / on death, sadness, distress / shooters, revolvers / photographers (paparazzi, binoculars, man/woman, photographer photographed, tourists) / people pointing a finger (index) / voyeurs / on the image / readers (of newspapers, books, documents, clergy) / writing / computer / microscope / medical surgery / on bodies (beauty treatments, make-up, hairstyles) / sculptors / workers / manual work (sewing, weaving) / washing, cleaning / workers outside (linked with the food industry) / markets (consumers) / cooks / eating and drinking / in the street / on objects / musicians / dancers / games (various children's, ball and parlor games) / absent and wandering / travel

## IMAGES CLIPPED OUT OF MAGAZINES

*various advertisements, *Mickey and derivatives, *Barbie and derivatives, *consumption / Brands / production / money, *eyes : 1) hidden eyes / with the hands with an object / closed eyes / a closed eye (with a hand or object), 2) masks, 3) glasses, *stereotypes in front of the camera : 1) fingers forming a V, 2) grimaces, *play of hands : 1) index (people pointing), 2) raised finger (threat, attention), 3) hand in front of eyes (protection from sun), 4) raised hand (greetings), 5) finger in nose, *images / people : 1) images of people at home, 2) wearers of images, 3) images on clothing, 4) images in public space, 5) people and television, 6) various, *children's games : 1) soccer, 2) hoop, 3) bubbles (chewing gum, soap, saliva), 4) ping-pong, 5) swings, 6) various, *series : 1) balance, 2) people posing with a fish, 3) sticking out the tongue, 4) lasso, 5) circle, 6) light effects, 7) panther motif, 8) jumping, 9) running, 10)writing in the image, 11) post-it, 12) Eiffel Tower, 13) kiss on the mouth, 14) animal lover, 15) female homosexuality, 16) advertising in daily life, 17) pools, 18) angels, *various : 1) connection with postcards, 2) images that are sensational, strange, worth keeping, 3) images published several times, 4) idols (stars)

HANS-PETER FELDMANN, _Bücher_ (Livres), Neues Museum Weserburg Bremen, Brême, 1999.

HANS-PETER FELDMANN, _Alle Kleider einer Frau_ (Tous les vêtements d'une femme), Art Metropole, Toronto, Feldmann Verlag, Düsseldorf, 1999.

« Je pense que le monde d'images qui nous entoure est, en quelque sorte, l'expression du monde des représentations, une expression des désirs. L'environnement ne se représente pas tel qu'il est, mais comme nous aimerions qu'il soit. En collectionnant ces images, je cherche à classer ces rêves en catégories, au moins à dégager des lignes, des courants principaux, si vous préférez. » À la lumière de ces propos, on comprend l'enjeu artistique et sociologique des livres d'images élaborés par Hans-Peter Feldmann. L'ouvrage _Alle Kleider einer Frau_ fait l'inventaire d'une garde-robe féminine en 1974. Dans ce documentaire photographique intime, les vêtements sur la page semblent garder l'empreinte du corps qui les a portés. _Bücher_ poursuit cette non-recherche esthétique de juxtaposition d'images sans commentaire. La collection a ici pour objet l'intégralité des publications de l'artiste.

"I think that the world of images surrounding us is in a way the expression of the world of representations, an expression of desire. The environment is not represented as it is but as we would like it to be. By collecting these images, I'm looking to classify those dreams into categories, to bring out at least the major lines, the main trends, if you will." In light of the artist's remarks above, we can easily understand what is at stake artistically and semio- logically in the books of images put together by Hans-Peter Feldmann. The work _Alle Kleider einer Frau_ enumerates a woman's wardrobe in 1974. In this intimate photographic documentary, the clothes on the page seem to bear the imprint of the body that wore them. _Bücher_ carries on this esthetic nonresearch of juxtaposing images without commentary. The object of the collection here is the entirety of the artist's publications.

Anne Frémy

# L'Heure Universe lle Activ e picture s Que fai

MODELL

ANNE FRÉMY, Modell, Buchhandlung Walther König, Cologne, 2002.

ANNE FRÉMY, L'heure universelle, Art3, Valence, 1998.

L'âge de la cueillette. « Je travaille à partir d'images choisies dans la presse, les livres, la télévision, etc. A partir de ces images, je compose des séries et des ensembles iconographiques, photographiques ou filmiques, des corpus. La sélection et la juxtaposition de ces images, les diverses opérations et manipulations de montage, cadrage, altérations, couleurs, etc., effectuées sur ces images, constituent un acte d'appropriation dans lequel l'image est considérée comme une matière première "naturelle". Ces corpus constituent à la fois un vocabulaire personnel d'images et une iconographie critique et onirique. Les thèmes privilégiés sont la ville, les architectures extrêmes, les utopies et les dystopies, les notions de micro-climat, de communauté, les rapports ville-nature, l'eau, la ville comme milieu naturel, et, en amont, les rapports que nous entretenons avec les images. Ces séries d'images sont autonomes (éditées ou exposées) ou impliquées dans des projets de toutes natures (architecture, urbanisme, art, etc.), en particulier dans le cadre de collaborations avec d'autres artistes, des architectes, etc. » Anne Frémy

The Age of Selection. "I work from images that come from my personal output (photographs and films) and/or archival images from on-going research in the press, books, television, etc. From these, I put together series and iconographic, photographic or filmic collections, bodies of images. Selecting and juxtaposing these images, carrying out the various operations and manipulations involved in mounting and framing, the alterations, colors and so on constitute an act of appropriation in which the image is considered a "natural" raw material. The themes most often used are the city, extreme architecture, both a personal vocabulary of images and a critical, dreamlike iconography. The interrelationship of cities and nature, water, the city as a natural milieu utopias and dystopias, the notions of microclimates and communities, these series of images can be either autonomous (published or exhibited) or involved and, closer to the source, our relationship with images. These series of images can be either autonomous (published or exhibited) or involved in all types of projects (architecture, town-planning, art, etc.), especially as part of collaborations with other artists, architects and so on." Anne Frémy

*Style Mixer*

© Mario Milizia 2003

MARIO MILIZIA, *Style Mixer*, 2003, disque de carton (cardboard disk), diam. : 21 cm. Courtesy Jousse Entreprise, Paris.

« Le *Style Mixer*, origine de toutes les combinaisons, est un objet circulaire de 21 cm de diamètre, composé de deux disques tournant l'un par-dessus l'autre, qui permettent de composer plus de 15 000 combinaisons de styles. Il est édité à 500 exemplaires. C'est un jeu dont le but est de créer de nouveaux styles ; c'est aussi un instrument qui aide à redéfinir, à re-cataloguer des éléments qui existent déjà. » Mario Milizia

"The *Style Mixer*, the origin of all combinations, is available in an edition of 500. It is a circular object measuring 21 cm in diameter and made of two disks rotating one on top of the other. With over 15,000 possible style combinations, it is both a game that allows the player to compose new styles and a tool to help define or 'label' something that already exists." Mario Milizia

# JONATHAN MONK

JONATHAN MONK
NONE OF THE BUILDINGS
ON SUNSET STRIP

JONATHAN MONK, *None of the Buildings on Sunset Strip*, édition Christoph Keller, Francfort, 2002.

Cet ouvrage est un clin d'œil au célèbre livre de l'artiste américain Ed Ruscha, *Every Building on the Sunset Strip*, publié en 1966. Si ce dernier a photographié tous les immeubles du fameux boulevard de Los Angeles sur plusieurs miles, Jonathan Monk a, quant à lui, simplement photographié les rues menant au boulevard mal fréquenté, tous les croisements, soit aucun immeuble à proprement parler.

This work is a wry allusion to the famous 1966 book by the American artist Ed Ruscha, *Every Building on the Sunset Strip*. While Ruscha photographed all the buildings along the famous Los Angeles boulevard over several miles, Jonathan Monk simply shot the intersections and sinister streets leading to the boulevard, in other words, not a single building strictly speaking.

MARTIN PARR, _From our House to your House_, collection Martin Parr, Dewi Lewis Publishing, Stockport, 2002. Martin Parr est représenté par (Martin Parr is represented by) Magnum Photos, Paris.

« Chaleureux, amusant et souvent hilarant — une magnifique collection de cartes pour célébrer un Noël américain ! » Le photographe Martin Parr, auteur des _Boring Postcards_ (1986) et de _Bliss, Perfect for Couples! Ideal for Families!_ (2003), a réalisé un ouvrage à partir de sa collection personnelle. Dans _From our House to your House_, il rend hommage à la traditionnelle carte postale de Noël américaine. Il s'agit d'un fascinant regard qui nous fait découvrir des aspects inconnus de la culture américaine, en montrant de fières familles qui posent (animaux de compagnie inclus) devant la caméra pour envoyer leurs vœux de Noël à travers le pays.

"Warm, funny and frequently hilarious – a wonderful collection of cards celebrating the American Christmas!" Photographer Martin Parr, author of the _Boring Postcards_ (1986) and _Bliss, Perfect for Couples! Ideal for Families!_ (2003), has put together a book from his personal collection. In _From our House to your House_, he celebrates the American Christmas card. This is a fascinating eye-opener into American culture, as proud families everywhere (pets included) pose before the camera to send their Christmas greetings across the nation.

# DANIEL PERRIER

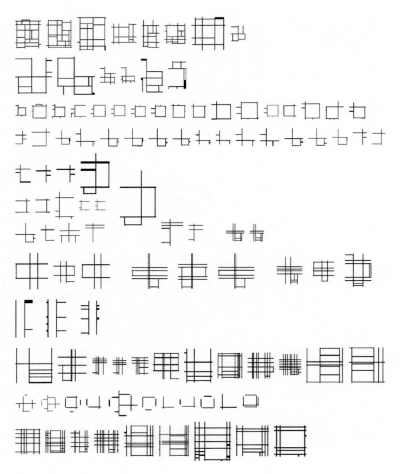

*DANIEL PERRIER, 110 compositions, 1921 – 1943 / Piet Mondrian, affiche : sérigraphie, 21 exemplaires (poster: silk print, 21 copies), 105 x 75 cm.*

110 compositions 1921 – 1943 / Piet Mondrian *est un projet d'affiche qui interroge, par et dans sa représentation formelle, la méthodologie de l'artiste Piet Mondrian de 1921 à 1943. Il s'agit d'un point de vue subjectif pour mettre en évidence un élément du vocabulaire pictural utilisé par l'artiste dans la réalisation de cette longue série d'œuvres : le tracé noir.*

*Daniel Perrier's piece here,* 110 compositions 1921 – 1943 / Piet Mondrian, *is a poster project that questions, by and through its formal representation, the methodology employed by the artist Piet Mondrian over a period that ran from 1921 to 1943. A subjective point of view brings to light an element from the pictorial vocabulary the artist used to create this long series of artworks, i.e., the black line.*

*RICHARD PRINCE, American English, 2003, Verlag der Buchhandlung Walter König, Cologne. Publié à l'occasion d'une exposition à Sadie Coles HQ Gallery, Londres (published on the occasion of the exhibition at Sadie Coles HQ Gallery, London).*

« Un jour dans la vie d'un collectionneur de livres révèle que les pulsions liées à la collection relèvent à la fois de l'obsession, de la quête et de l'imagination », explique Richard Prince. Dans *American English*, compilation de couvertures de livres, il dévoile au fil des pages l'attitude du collectionneur, sa déambulation dans la ville d'un livre à l'autre, ses acquisitions compulsives d'éditions multiples, sa manière d'organiser, d'assembler, de créer des correspondances visuelles ou thématiques entre les ouvrages. Il construit ainsi son parcours à travers une culture essentiellement anglo-saxonne : David Bowie, Bob Dylan, Yoko Ono, Helmut Newton, Martin Kippenberger, Jack Kerouac et J. G. Ballard apparaissent ici comme ses principales références.

"A day in the life of a book collector suggests that the impulses behind collecting are part obsession, part quest and part fantasy," as Richard Prince points out. In his compilation of book covers called *American English*, the artist brings to light throughout the pages of his project the attitude of the true collector, his stroll through the city from one book to the next, his compulsive acquisitions of multiple editions, his way of organizing and assembling, of creating visual or thematic correspondences between works. He constructs his route through an essentially English culture. Thus, David Bowie, Bob Dylan, Yoko Ono, Helmut Newton, Martin Kippenberger, Jack Kerouac and J.G. Ballard appear here as his main references.

# RAPHAËLE VIDALING

**Surréa-Liste**

*\* expressions en vrac extraites de la revue La Révolution surréaliste, parue de 1924 à 1929*

**surréa-liste\***

UNE BEAUTÉ CONVULSIVE
LA MERVEILLEUSE ÉPONGE DÉFLEURIE DE L'OR
UNE PIEUVRE-HORLOGE
UN CRAPAUD DE LAIT AIGRE
UN OISEAU-PLUIE
UN CŒUR-MÉDUSE
DES BRIBES DE BREBIS
DES BOCAUX DE BROCART
LA POURRITURE CÉLESTE
UN ANGE CENTRIFUGE
UN CŒUR AMBIDEXTRE
UNE DOULEUR BOUCHE-EN CŒUR
LE VILEBREQUIN DU DÉSORDRE
LES OISEAUX DU DÉLIRE
LE PAIN DE L'AIR
LE CHÂTEAU DE CRAIE
UN CORSAGE DE BIÈRE
UN BÂTON MOU
UN POISSON SOLUBLE
UNE DOULEUR VESPÉRALE
UNE ANGUILLE DE PRALINE
LE PARAPET DU MOI
UNE MURAILLE DE CHÊNE
LE LOUSSEUR CÉLESTE
UNE ÉPÉE DE SUCRE
UN ÉCUREUIL DE CIRE
UN SPECTRE NEUF
LA RÉGENÈSE
UNE ÉCUME DE MUSIQUE
L'AVIATION DE CHAMBRE
LE SPHINX DES GLACES
UN PÈSE-NERFS
UN LAC MÉTALLIQUE
LES COLOSSES DE MEMNON
LES COLOSSES DE MEMOUI

rém
merci

RAPHAËLE VIDALING, *Le livre des listes*, onestar press, Paris, 2003.

« Liste des petites victoires », « liste des petites défaites », « liste de palindromes » ou « liste des êtres imaginaires »… En tout, cent cinquante listes composent le *Livre des listes* de Raphaële Vidaling, une compilation de ses archives listiques, de sa bibliothèque listienne et des diverse contributions envoyées par ses amis. Pour cette jeune écrivain, list-addict fascinée par le travail de Perec, Prévert ou Closky, ce livre explore différentes manières littéraires et formelles de lister, compiler ou nommer.

"List of small victories," "list of small defeats," "list of palindromes," "list of imaginary beings," in all 150 lists make up Raphaële Vidaling's *Livre des listes*, or Book of Lists, a compilation of her listic records and listian library, and various contributions sent to her by her friends. For this young writer, a list addict fascinated by the work of Perec, Prévert and Closky, this book explores different formal and literary ways to list, compile and name.

GEORGES PEREC

« 2.1 MANIÈRE DE RANGER LES LIVRES

CLASSEMENT ALPHABÉTIQUE
CLASSEMENT PAR CONTINENT OU PAR PAYS
CLASSEMENT PAR COULEUR
CLASSEMENT PAR DATE D'ACQUISITION
CLASSEMENT PAR DATE DE PARUTION
CLASSEMENT PAR FORMAT
CLASSEMENT PAR GENRE
CLASSEMENT PAR GRANDES PÉRIODES LITTÉRAIRES
CLASSEMENT PAR LANGUES
CLASSEMENT PAR PRIORITÉS DE LECTURE
CLASSEMENT PAR RELIURES
CLASSEMENT PAR SÉRIES. »

"2.1 Way of arranging books

classification by alphabetic order
classification by continent or country
classification by color
classification by date of acquisition
classification by date of publication
classification by format
classification by genre
classification by major literary periods
classification by languages
classification by reading priorities
classification by bindings
classification by series."
"Brief Notes on the Art and Manner of Arranging Books," <u>Think/Classify</u>, 1985.
" Notes brèves sur l'art et la manière de ranger ses livres " in <u>Penser/Classer</u>, 1985.

# LISTE DES ŒUVRES EXPOSÉES / **LIST OF WORKS**

## SAÂDANE AFIF
*Pirate's Who's Who*, 2000-2004. Edition de 6 exemplaires, étagère *Lovely Rita*
de Ron Arad, collection de livres sur la piraterie, peinture pailletée, contrat, dimensions
variables (edition of 6, the Ron Arad bookshelf *Lovely Rita*, a collection of books
on piracy, glitter paint, contract, variable dimensions).
Collection Dominique et Christophe Guillot, Paris. Courtesy galerie Michel Rein, Paris.

*(Blanc, jaune, rouge, vert)*, 1971-2003, lightshow.
Collection de l'artiste. Courtesy galerie Michel Rein, Paris.

## JACQUES ANDRÉ
*Do It de Jerry Rubin*, 2003, photo.
Courtesy Catherine Bastide, Bruxelles.

*Frise, derniers achats effectués par Jacques André*, hiver (winter) 2004.
Courtesy Catherine Bastide, Bruxelles.

## JOHN ARMLEDER
*Sans titre (Triptyque d'Utrecht)*, 1992, technique mixte sur toile
(mixed media on canvas), 3 x 6 m.
Collection Le Consortium, Dijon.

## CAROL BOVE
*What the Trees Said*, 2003-2004, technique mixte (mixed media), 166 x 243 x 51 cm.
Courtesy Team Gallery, New York.

## ANGELA BULLOCH
*Rule Series: DJ Booth*, 2004, wallpainting, dimensions variables (variable dimensions).
Courtesy 1301PE, Los Angeles.

## CERCLE RAMO NASH
*Black Box*, 1998, métal laqué, câbles électriques, voyants verts, 3 ordinateurs et
3 consoles, programme « Sowana » (lacquered metal, electric cables, green lights,
three computers and three consoles, "Sowana" programme), boîte (box) :
183 x 183 x 183 cm, dimensions variables selon installation (variable dimensions).
Collection Frac Provence-Alpes-Côte d'Azur / Yoon-Ja & Paul Devautour.

## CLEGG & GUTTMANN
*Revisiting Falsa Prospettiva: Reflections on Claustrophobia, Paranoia and Conspiracy*
*Theory*, 2001-2004, photographies, plexiglas et bois, dimensions variables
(ilfochrome prints, plexiglass and wood, variable dimensions).
Courtesy Lia Rumma Gallery, Milan.

*Two Types of Revolt against Reason*, 2004, installation sonore, haut-parleurs,
lecteur CD (outdoor sound installation, Cd players, speakers).
Courtesy Lia Rumma Gallery, Milan.

## SAM DURANT
*Upside Down: Pastoral scene*, 2002, installation : fibre de verre, bois, miroir,
peinture acrylique, système son (fiberglass, wood, mirror, acrylic paint, audio system),
chaque miroir (each mirror) : 122 x 122 cm, arbres (trees) : 76 - 153 cm.
Courtesy Blum & Poe, Los Angeles.

## PAULINE FONDEVILA
*L'usage de la vie*, 2002, impression numérique sur bâche
(digital print on a canvas cover), 160 x 180 cm.
Collection privée, Lyon.

*Le plaisir des yeux*, 2004, dessins (drawings).

## BERTRAND LAVIER
*Varsov 3*, 2004, tubes néon (neon tubes), 4 x 2 m.
Collection de l'artiste. Courtesy Yvon Lambert, Paris.

## RÉMY MARKOWITSCH
*Bibliotherapy meets Bouvard et Pécuchet*, 2001 / 2004 (remix), installation, technique
mixte (installation, mixed media), dimensions variables (variable dimensions).
Courtesy Galerie Eigen + Art, Berlin-Leipzig, Galerie Urs Meile, Lucerne, Miss China,
Paris, Museum of Art, Lucerne, Villa Merkel, Galerien der Stadt Esslingen.

## BJARNE MELGAARD
*Sans titre*, 2004, installation en collaboration avec les Black Metal Thorns
(in collaboration with the Black Metal Thorns), dimensions variables (variable dimensions).

## JONATHAN MONK
*Répertoire*, 2001-2003, installation vidéo : film 16 mm, 5 mn 29, échafaudage, toile
(16-mm film, 5:29, scaffolding, tent).

*Translation Piece*, 2003, série de 11 documents (series of 11 documents), 29,7 x 21 cm.
Courtesy galerie Jan Mot, Bruxelles.

*All the Possible Ways of Lighting a Chemist Shop's Sign*, 2001, tubes néon
(neon tubes), 1 x 1 m.
Courtesy galerie Yvon Lambert, Paris.

## DAVE MULLER
Fresque et installation comprenant (wallpainting and installation including) :
*Dave's Top Ten for the Week of October 23-29 (Just the Language Version)*, 2003,
acrylique sur papier (acrylic on paper), 113 x 252 cm ; *Jake's Top Ten (Nostalgia)*, 2003,
acrylique sur papier (acrylic on paper), 252 x 113 cm ; *A-1*, 2003, acrylique sur papier
(acrylic on paper), 110 x 89 cm ; *A-2*, 2003, acrylique sur papier (acrylic on paper),
110 x 89 cm ; *AB*, 2003, acrylique sur papier (acrylic on paper), 110 x 89 cm ; *B-1*, 2003,
acrylique sur papier (acrylic on paper), 110 x 89 cm ; *B-2*, 2003, acrylique sur papier
(acrylic on paper), 110 x 89 cm…
Courtesy The Approach, Londres.

## BRUNO PEINADO
*Sans titre, bootleg krinolin*, 2004, patchwork.
Courtesy Bruno Peinado et galerie Loevenbruck, Paris.

*Sans titre, the endless summer*, 2004, résine, polyester (resin, polyester).
Courtesy Bruno Peinado et galerie Loevenbruck, Paris.

*Sans titre, écran total*, 2004, aluminium découpé (shaped aluminum).
Courtesy Bruno Peinado et galerie Loevenbruck, Paris.

## RICHARD PRINCE
*Danger Nurse at Work*, 2002, impression jet d'encre et acrylique sur toile
(inkjet print and acrylic on canvas), 236 x 142 cm.
Collection Sadie Coles HQ, Londres.

*Island Nurse*, 2002, impression jet d'encre et acrylique sur toile
(inkjet print and acrylic on canvas), 177,8 x 122 cm.
Collection Marc Jacobs.

## ALLEN RUPPERSBERG
*The Singing Posters*, 2003, installation, technique mixte (mixed media).
Courtesy Art & Public, Genève et Studio Guenzani, Milan.

## SAMON TAKAHASHI
*La circonférence des oiseaux*, 2003, programme sonore, DVD
(audio recording, DVD), 10 mn.

ORGANISÉE PAR / **ORGANIZED BY** :
PALAIS DE TOKYO, SITE DE CRÉATION CONTEMPORAINE
13, AVENUE DU PRÉSIDENT WILSON F - 75116 PARIS
T. +33 1 47 23 54 01 - F. +33 1 47 20 15 31
WWW.PALAISDETOKYO.COM

# VIDEOS

**JOHN BALDESSARI**
*Baldessari Sings LeWitt*, 1972, vidéo.
Courtesy Electronic Arts Intermix, New York.

*Script*, 1974, vidéo.
Courtesy Bureau des Vidéos, Paris.

**BLUE SOUP**
*Selected Works*, 1996-2004, vidéos.
Courtesy Guelman Gallery, Moscou.

**SLATER BRADLEY**
*Factory Archives*, 2002, vidéo.
Courtesy Team Gallery, New York et galerie Yvon Lambert, Paris.

*Phantom Release*, 2003, vidéo.
Courtesy Team Gallery, New York.

**SUSANNE BÜRNER**
*Ohne Titel 2*, 2003, vidéo.
Courtesy galerie Chantal Crousel, Paris et Galerie Giti Nourbakhsch, Berlin.

**BRICE DELLSPERGER**
*Body Double 14*, 1999, vidéo.
Courtesy Air de Paris.

*Body Double 17*, 2001, vidéo.
Courtesy Air de Paris.

**CHRISTOPH DRAEGER**
*Schizo (Redux)*, 2004, vidéo.
Courtesy Anne de Villepoix, Paris
et mullerdechiara, Berlin.

*Feel Lucky Punk??!*, 2000, vidéo.
Courtesy Anne de Villepoix, Paris
et mullerdechiara, Berlin.

**CHRISTOPH GIRARDET**
*Release*, 1996, vidéo.

**CHRISTOPH GIRARDET & MATTHIAS MÜLLER**
*Play*, 2003, vidéo.

**GUSZTÁV HÁMOS**
*Seins Fiction II (The Invicible)*, 1983, vidéo.
Courtesy Heidrun Quinque-Wessels, Berlin.

**PIERRE HUYGHE**
*Remake*, 1995, vidéo.
Courtesy Marian Goodman Gallery, New York-Paris.

**MIKE KELLEY & PAUL MC CARTHY**
*Fresh Acconci*, 1995, vidéo.
Collection Frac Provence-Alpes-Côte d'Azur.

**MARK LEWIS**
*After (Made for TV)*, 1999, vidéo.
Courtesy galerie cent8-serge le borgne, Paris.

**CHRISTIAN MARCLAY**
*Telephones*, 1995, vidéo.
Courtesy Christian Marclay et Paula Cooper Gallery, New York.

**MATTHIAS MÜLLER**
*Home Stories*, 1990, vidéo.
Courtesy Matthias Müller, Timothy Taylor Gallery, Londres,
Galerie Volker Diehl, Berlin, Thomas Erben Gallery, New York.

**STEFAN NIKOLAEV**
*The Screensaver / the Hard-disk / the Disk*, 2003, vidéo.
Courtesy galerie Michel Rein, Paris.

**RED SNIPER (PATRICK CODENYS & KENDELL GEERS)**
*Selected Works*, 2004, vidéo.

**MARTIN SASTRE**
*Videoart: the Iberoamerican Legend*, 2002, vidéo.
Courtesy MUSAC Museum of Contemporary Art of Castilla y León, Valladolid.

**CATHERINE SULLIVAN**
*'Tis Pity She's a Fluxus Whore*, 2003, vidéo.
Courtesy galerie Christian Nagel, Cologne-Berlin.

**SALLA TYKKÄ**
*Thriller*, 2002, vidéo.
Courtesy galerie Yvon Lambert, Paris.

# LE SALON

**ADEL ABDESSEMED**
*The Green Book*, La Criée, Centre d'art contemporain, Rennes, 2002.

**ANNA ARTAKER & MEIKE SCHMIDT-GLEIM**
*Les archives des barbares*, 2003. Ouvrage publié à l'occasion de l'exposition
(book published at the occasion of the exhibition) *Did You Ever Dream of Becoming Barbarian?*, Public>, Paris, 2003.

**LUDOVIC BUREL**
*PAGE SUCKER NUMERO UN SKULL.JPEG*, Tux-tv.net, Paris, 2002.

**CLEGG & GUTTMANN**
*Falsa Prospettiva* in *Fama & Fortune Bulletin* n°27, Verlag Pakesch & Schlebrügge, Vienne, mars 2001.

**CLAUDE CLOSKY**
*Mon catalogue*, éditions Frac Limousin, Limoges, 1999.

**DOCUMENTATION CÉLINE DUVAL**
*– (Sans titre)*, éditions cneia/EBA, Caen.

**CÉLINE DUVAL & HANS-PETER FELDMANN**
*Cahier d'images - Fly*
*Cahier d'images - album de famille*
*Cahier d'images - charlotte*

**HANS-PETER FELDMANN**
*Bücher* (Livres), Neues Museum Weserburg Bremen, Brême, 1999.

*Alle Kleider einer Frau* (Tous les vêtements d'une femme), Art Metropole, Toronto, Feldmann Verlag, Düsseldorf, 1999.

**ANNE FRÉMY**
*Modell*, Buchhandlung Walter König, Cologne, 2002.

*L'heure universelle*, Art3, Valence, 1998.

*Architectures : comment habiter la terre ?*, Purple Books, Paris, 1999.

**MARIO MILIZIA**
*Style Mixer*, 2003, disque de carton et vidéo (cardboard disk and video), diam. : 21 cm.
Courtesy Jousse Entreprise, Paris.

**JONATHAN MONK**
*None of the Buildings on Sunset Strip*, édition Christoph Keller, Francfort, 2002.

*The Project Book Project*, 2003, ouvrage publié à l'occasion de l'exposition
(book published for the exhibition) *Neither a Borrower, Nor a Lender Be*, Arnolfini, Bristol, 2003.

**MARTIN PARR**
*From Our House to Your House*, collection Martin Parr, Dewi Lewis Publishing, Stockport, 2002. Martin Parr est représenté par (Martin Parr is represented by) Magnum Photos, Paris.

**DANIEL PERRIER**
*110 compositions, 1921 - 1943 / Piet Mondrian*, affiche : sérigraphie, 21 exemplaires
(poster: silk print, 21 copies), 75 x 105 cm.

*...HIM... néons works / 1965 - 1998 BRUCE NAUMAN*, affiches, diptyque :
sérigraphie, 21 exemplaires (posters, diptych : silk print, 21 copies),
80 x 160 cm chacune (each).

**RICHARD PRINCE**
*American English*, Verlag der Buchhandlung Walter König, Cologne, 2003.
Publié à l'occasion d'une exposition à Sadie Coles HQ Gallery, Londres
(published on the occasion of the exhibition at Sadie Coles HQ Gallery, London).

**RAPHAËLE VIDALING**
*Le livre des listes*, onestar press, Paris, 2003.

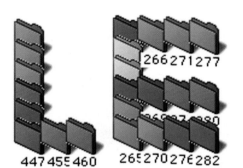

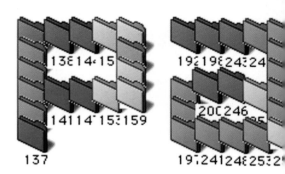

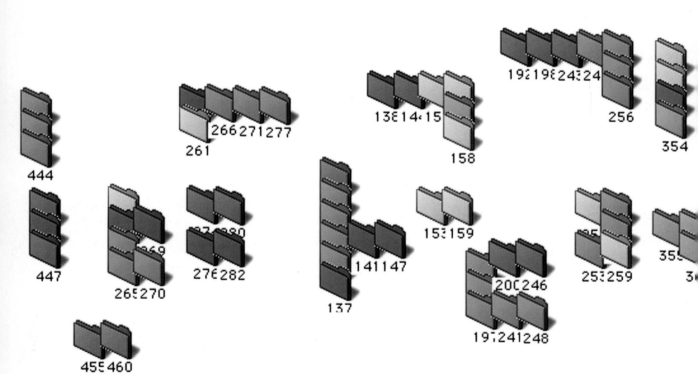

447 455 460

266 271 277

265 270 276 282

138 144 150

141 147 153 159

137

192 198 243 249

200 246

197 241 248 253 259

444

261

266 271 277

447

265 270

269

276 282

137

141 147

138 144 150

158

153 159

200 246

197 241 248

253 259

192 198 243 249

256

354

355

355

455 460

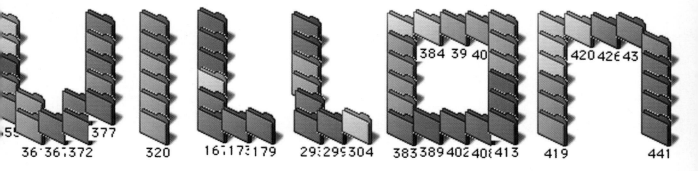

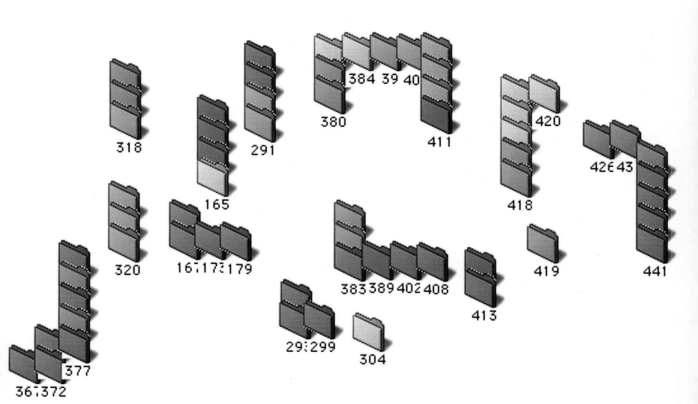

p. 210

# LE PAVILLON

ZIAD ANTAR
PASCAL BEAUSSE
LOUIDGI BELTRAME
DAVIDE BERTOCCHI
SOPHIE DUBOSC*
JOHANNES FRICKE-WALDTHAUSEN***
SHIHO FUKUHARA***
AGNIESZKA KURANT
ANGE LECCIA
CHRISTIAN MERLHIOT
GERALD PETIT
JEAN-LUC VILMOUTH

INVITÉS / GUESTS:
SAÂDANE AFIF
*CHARLES LOPEZ
**HEIKE BARANOWSKY,
AIMEE MORGANA,
RUPERT SHELDRAKE
***GEORG TREMMEL

Le Pavillon, laboratoire de recherche artistique et studio de production du Palais de Tokyo, accueille chaque année pendant huit mois une dizaine de jeunes artistes et curators internationaux.

Le débat intellectuel et la réflexion artistique se concrétisent par la production d'œuvres communes ou individuelles. Ils prennent des formes diverses et constituent une banque de données, fruit d'une année d'échanges.

La circulation entre des produits culturels existants, cartographiés et connectés (« postproduction »), peut être juxtaposée à un autre type de parcours possible : la métaphore de la culture comme « cadavre exquis ». La création d'une nouvelle forme commence très souvent par le choix plus ou moins hasardeux d'un fragment extrait d'un objet culturel existant, et ne saurait être simplifiée en étant décrite comme une réappropriation, une citation ou un parasitage. Le processus de copier-coller infligé à la culture renvoie à sa nature intrinsèquement codée, à l'idée que toute communication ou production humaine crée et utilise certains codes.

As the Palais de Tokyo's artistic research laboratory and production studio, Le Pavillon welcomes each year ten young international artists and curators for an eight-month residency.

Intellectual debate and artistic reflection become concrete reality with the production of both collective and individual works of art. These take a variety of forms, constituting a kind of database, the result of the participants' interactions over their months together.

The circulating between mapping and connecting existing cultural products ('postproduction') can be juxtaposed with another one, the metaphor of culture working as 'cadavre exquis'. The creation of a new form of culture very often starts from a more or less randomly chosen fragment of existing body of culture and it can not be simplified by being described as reappropriation, quotation or parasitasing. The cut'n'paste process which the culture undergoes refers to the coded nature of culture, the idea that every human production or communication creates or uses certain codes.

# CODE UNKNOWN

« Code Unknown » est la version anglaise du titre d'un film
de Michael Haneke, un film qu'aucun des participants à ce projet
n'a vu. Comment le titre d'un film pas vu peut-il devenir
le titre d'une exposition ?

En substance, « Code Unknown » ne peut pas être défini.
« Code Unknown » est un solipsisme, c'est un code
que l'on ne connaît pas.

Un des paradoxes de notre culture apparaît quand elle commence
à produire des codes vides, des codes sans contenu. D'autre
part, l'attitude habituelle face au monde considéré comme un objet
sémiotique nous amène à chercher un message codé
et une signification, y compris là où il n'y en a pas.

« Code Unknown » est une image
mentale sans équivalent visuel. C'est le lien
manquant entre les éléments d'un puzzle
que chacun doit trouver pour soi.

« Code Unknown » est un message
mal interprété et mal compris
qui génère son propre sens ou qui fait
mouche accidentellement.

La peur métaphysique qu'un jour
on se réveillera sans comprendre le code
de la réalité n'est plus un cauchemar
kafkaïen ou une image tirée
d'une nouvelle de William Gibson.
Cela devient une probabilité tangible.

« Code Unknown » peut être tout et son contraire,
du message d'erreur si l'on tape mal son code bancaire,
au langage secret de l'artificiel et utopique pays
de Thlön décrit par Jorge Luis Borges.

« Code Unknown » est aussi un nom pour un nouveau
produit qui n'existe pas, à découvrir ou à inventer,
ce qui ne nous empêche pas de créer dès maintenant le code
de sa lecture, son logo et son image. Un code sans message.

C'est la notion deleuzienne de société capitaliste schizophrénique,
avec ses simili-codes qui toujours échappent, se dérobent ;
quelque chose qui ne répond à aucun code.

« Code Unknown » pourrait être la clé d'accès
à un roman de Georges Perec ou de Robert Ludlum.

« Code Unknown » est une voix à l'intérieur du
discours prenant en compte les mécanismes
de la culture contemporaine. Comme
chaque produit culturel créé par
un groupe d'individus (l'équipe
du Pavillon), « Code Unknown »
se manifeste comme un effet
secondaire, comme un virus
ou un bug plutôt que
comme un programme.

« Code Unknown »
est une exposition,
une structure qui tourne
autour d'un centre vide,
le code inconnu. Chercher
l'inconnu revient à
marcher dans l'obscurité.

*AGNIESZKA KURANT*

# CODE UNKNOWN

'Code Unknown' is the English version of the title
of a film by Michael Haneke, a film that none
of the participants of this project has seen.
How can a title of an unseen film become
the title of the exhibition?

By design, 'code unknown' can not
be defined. 'Code unknown'
is a solipsism, it is a code
that we do not know.

The paradox of culture
reached the extremes when we started to
produce empty codes, the codes with no content.
On the other hand the habitual attitude towards
the world which considers it as a semiotic object
led us to the situation when we try to look
for the meaning, the coded message
everywhere, even where it does not exist.

'Code unknown' is a mental image that can
not be rendered visually. It is the missing link
between the elements of a puzzle
that we have to find each one for himself.

'Code unknown' is a misinterpreted, misunderstood
message that starts to mean something else
or becomes an unread shot in the dark.

The metaphysical fear that one day we are going
to wake up without understanding the reality code
is no longer a Kafkaesque cauchemar or an image from
a William Gibson novel. It becomes a tangible probability.

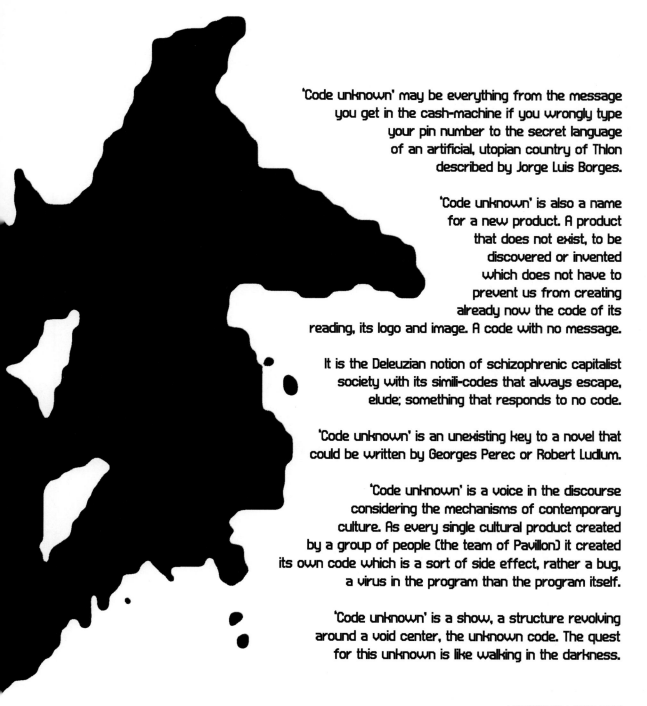

'Code unknown' may be everything from the message
you get in the cash-machine if you wrongly type
your pin number to the secret language
of an artificial, utopian country of Tlhon
described by Jorge Luis Borges.

'Code unknown' is also a name
for a new product. A product
that does not exist, to be
discovered or invented
which does not have to
prevent us from creating
already now the code of its
reading, its logo and image. A code with no message.

It is the Deleuzian notion of schizophrenic capitalist
society with its simili-codes that always escape,
elude; something that responds to no code.

'Code unknown' is an unexisting key to a novel that
could be written by Georges Perec or Robert Ludlum.

'Code unknown' is a voice in the discourse
considering the mechanisms of contemporary
culture. As every single cultural product created
by a group of people (the team of Pavillon) it created
its own code which is a sort of side effect, rather a bug,
a virus in the program than the program itself.

'Code unknown' is a show, a structure revolving
around a void center, the unknown code. The quest
for this unknown is like walking in the darkness.

*AGNIESZKA KURANT*

p. 218

ORGANISÉE PAR/ORGANIZED BY :
PALAIS DE TOKYO, SITE DE CRÉATION CONTEMPORAINE
13, AVENUE DU PRÉSIDENT WILSON F - 75116 PARIS
T. +33 1 47 23 54 01 - F. +33 1 47 20 15 31
WWW.PALAISDETOKYO.COM
DIRECTEURS/DIRECTORS : NICOLAS BOURRIAUD, JÉRÔME SANS
ADMINISTRATION : CATHERINE SENTIS
CHIEF CURATORS : AKIKO MIKI & MARC SANCHEZ

CE CATALOGUE EST PUBLIÉ À L'OCCASION DE L'EXPOSITION PLAYLIST 02 FÉVRIER - 25 AVRIL 2004 —
**THIS CATALOGUE HAS BEEN PUBLISHED FOR THE EXHIBITION PLAYLIST 02 FEBRUARY - 25 APRIL 2004 —**

## POUR L'EXPOSITION :

commissaire / **curator:**

Nicolas Bourriaud

avec la collaboration de /
**with the collaboration of:**

Claire Staebler
Aurélie Voltz
Vincent Honoré

assistés de / **assisted by:**

Aurélie Djian

régisseurs / **registrars:**

Cécile Allouis
Laurent Guy

assistés de / **assisted by:**
Baptiste Laurent

publics :
David Cascaro
Alfonso Ponce

communication :

Naïa Sore
Willy Carda
Marie Messina
Frédéric Grossi

assistés de / **assisted by:**
Flore Poindron
Gihane Besse

## POUR LE CATALOGUE :

Palais de Tokyo :
direction éditoriale /
**editorial management:**

Nicolas Bourriaud    Vincent Honoré

assistés de /
**assisted by:**

Isabelle Alfonsi

conception graphique /
**graphic design:**

Dipesh Pandya

traductions anglaises /
**English translations:**
John O'Toole

Editions Cercle d'art :
direction éditoriale /
**editorial management:**

Philippe Monsel

régie et fabrication /
**production management:**

Bernard Champeau

relecture /
**proof reading:**

Sylvie Poignet

photogravure /
**photo-engraving:**

Arts Graphiques du Centre (Saint-Avertin)

p. 220

PLAYLIST

Le Palais de Tokyo, site de création contemporaine, souhaite remercier tout particulièrement :
**Le Palais de Tokyo, site de création contemporaine, would particularly like to thank**

Pour leur aide à la production de l'exposition
**For their help in producing this exhibition**

AMBASSADE ROYALE DE NORVÈGE À PARIS ; BRITISH COUNCIL ; DÉLÉGATION GÉNÉRALE WALLONIE-BRUXELLES À PARIS ;
INSTITUT POLONAIS, PARIS ; OFFICE FOR CONTEMPORARY ART NORWAY ; PRO HELVETIA, FONDATION SUISSE POUR LA CULTURE

Les prêteurs et les galeries, pour leur collaboration
**The lenders and galleries, for their collaboration**

THE APPROACH, LONDRES ; ART & PUBLIC, GENÈVE ; GALERIE CATHERINE BASTIDE, BRUXELLES ;
BLUM & POE GALLERY, LOS ANGELES ; 1301PE BRIAN BUTLER, LOS ANGELES ; LE CONSORTIUM, DIJON ; GALERIE EIGEN + ART, BERLIN ;
GALLERI FAURSCHOU, COPENHAGUE ; FRAC PACA, MARSEILLE ; BARBARA GLADSTONE GALLERY, NEW YORK ; STUDIO GUENZANI, MILAN ;
MARC JACOBS, GALERIE YVON LAMBERT, PARIS-NEW YORK ; GALERIE LOEVENBRUCK, PARIS ; GALERIE URS MEILE, LUCERNE ;
GALERIE JAN MOT, BRUXELLES ; MISS CHINA, PARIS ; MURRAYGUY, NEW YORK ; GALERIE CHRISTIAN NAGEL, BERLIN-COLOGNE ;
GALERIE MICHEL REIN, PARIS ; LIA RUMMA GALLERY, MILAN ; SADIE COLES HQ GALLERY, LONDRES ; SCHIPPER & KROME, BERLIN ;
GALERIE MICHELINE SZWAJCER, ANVERS ; TEAM GALLERY, NEW YORK ; UNION GALLERY, LONDRES

Pour les vidéos / **For the videos**

GALERIE LUIS ADELANTADO, VALENCE ; GALERIE AIR DE PARIS, PARIS ; BUREAU DES VIDÉOS, PARIS ;
GALERIE CENT8-SERGE LE BORGNE, PARIS ; GALERIE CHANTAL CROUSEL, PARIS ; THE PAULA COOPER GALLERY, NEW YORK ;
ELECTRONIC ARTS INTERMIX, NEW YORK ; THOMAS ERBEN GALLERY, NEW YORK ; FRAC PACA, MARSEILLE ;
GALERIE MARIAN GOODMAN, PARIS-NEW YORK ; GUELMAN GALLERY, MOSCOU ; GALERIE YVON LAMBERT, PARIS-NEW YORK ;
MULLERDECHIARA, BERLIN ; MUSAC MUSEUM OF CONTEMPORARY ART OF CASTILLA Y LÉON, VALLADOLID ;
GALERIE CHRISTIAN NAGEL, BERLIN-COLOGNE ; GALERIE GITI NOURBAKHSCH, BERLIN ;
GALERIE HEIDRUN QUINQUE-WESSELS, BERLIN ; GALERIE MICHEL REIN, PARIS ; TIMOTHY TAYLOR GALLERY, LONDRES ;
TEAM GALLERY, NEW YORK ; GALERIE ANNE DE VILLEPOIX, PARIS ; GALERIE VOLKER DIEHL, BERLIN

Pour le salon / **For the lounge**

ART 3, VALENCE ; FELDMANN VERLAG, DÜSSELDORF ; JOUSSE ENTREPRISE, PARIS ; DEWI LEWIS PUBLISHING, STOCKPORT ;
LIBRAIRIE FLORENCE LOEWY, PARIS ; LUKAS & STERNBERG, NEW YORK ; JEAN-CHARLES MASSERA ;
MOROSO ; ONESTAR PRESS, PARIS ; P.O.L., PARIS

Achevé d'imprimer le premier trimestre deux mille quatre
sur les presses de l'imprimerie Grafiche Milani à Segrate, Italie